Gudrun Leyendecker

Die singenden Sterne von San Lorenzo

Märchenroman

1.Auflage 2025

Umschlaggestaltung Natascha Frieben Canva

 Bibliografische Information der deutschen Nationalbibliothek: Die Deutsche Nationalbibliothek verzeichnet diese Publikation in der Deutschen Nationalbibliografie; detaillierte biografische Daten im Internet über http://dnb.dnb.de abrufbar.

Verlag: BoD · Books on Demand GmbH,

Überseering 33, 22297 Hamburg, bod@bod.de

Druck: Libri Plureos GmbH, Friedensallee 273,

22263 Hamburg

ISBN: 978-3-8192-2373-0

Gudrun Leyendecker ist seit 1995 Buchautorin. Sie wurde 1948 in Bonn geboren.

Siehe Wikipedia.

Sie veröffentlichte bisher über 110 Bücher, unter anderem Sachbücher, Kriminalromane, Liebesromane, und Satire. Leyendecker schreibt auch als Ghostwriterin für namhafte Regisseure. Sie ist Mitglied in schriftstellerischen Verbänden und in einem italienischen Kulturverein. Erfahrungen für ihre Tätigkeit sammelte sie auch in ihrer Jahrzehntelangen Tätigkeit als Lebensberaterin.

Inhaltsangabe:

Im Norden Italiens, nahe der Brenta-Dolomiten, mitten in der vielfältigen Alpen- Region lebt die Prinzessin Lacrima in ihrem verwunschenen Schloss.

Dieses alte Gemäuer ist nicht leicht zu finden, aber viele Abenteurer, Prinzen und Touristen machen sich auf den Weg, um die fürstliche Hoheit zu suchen, denn wer sie aus ihrer Verzauberung erlöst, wird mit einer besonderen Überraschung belohnt belohnt.

Die singenden Sterne

von

San Lorenzo

Märchenroman

Gudrun Leyendecker

Einführung

In einem Sommer wie aus einem vergessenen Bilderbuch kamen Amanda und Eleonore, zwei Freundinnen aus der Stadt, nach San Lorenzo in den Brenta-Dolomiten. Sie hatten sich Ruhe, Erholung und erhebende Aussichten auf das Bergpanorama gewünscht – stattdessen fanden sie ein Geheimnis, das seit Jahrhunderten unter Felsen und in einer Legende schlummerte.

Die Tage waren erfüllt vom Duft der Lärchenwälder und dem Klang der Kuhglocken in der Ferne. In den Nächten aber, wenn der Wind durch die Täler strich und die Sterne wie leuchtende Noten am Himmel standen, schien es Amanda manchmal, als würde etwas... singen.

Sie dachten sich zunächst nichts dabei – bis sie an einem frühen Morgen der Postfrau Rosalba begegneten. Die alte

Frau, wettergegerbt und mit einer Stimme wie grobes Leinen, sprach beiläufig vom König Enrico, der tief in den Bergen noch immer herrsche – unsichtbar für die Welt, aber lebendig im Schatten eines verlassenen Schlosses, das auf keiner Karte verzeichnet ist.

Und dann erzählte sie von Lacrima, der Nichte des Königs, einer jungen Prinzessin von großer Schönheit und Traurigkeit, die in einem Kristallgefängnis im verwunschenen Schloss gefangen gehalten werde – verbannt, weil ihr Herz den Sternen zu lauschen wusste und ihre Sehnsüchte nach der Ferne so groß war, dass sie schon mehrere Male versucht hatte, aus dem Palast zu entfliehen. Die Postfrau ließ die beiden Frauen wissen: Nur, wer die Melodien der Planeten wieder zum Klingen bringe und ein besonderes Lied daraus erkenne, könne Lacrima befreien.

Amanda und Eleonore waren nicht nur tief beeindruckt vom Bericht der alten Postfrau, sondern fühlten sich bewegt und empfanden großes Mitleid mit der Prinzessin. Als sich Rosalba wieder ihre Arbeit zuwandte, entfernten sich die beiden Freundinnen nachdenklich und überlegten, ob sie nicht von einem besonderen Schicksal in diese Gegend geführt worden waren.

Kapitel 1

Die Sonne stand tief, als Amanda und Eleonore ein zweites Mal am kleinen, moosgrünen Posthäuschen von San Lorenzo vorbeikamen. Es war eines dieser uralten Häuser mit einem schiefen Dach, das aussah, als wolle es sich jeden Moment zur Seite legen und im Gras ausruhen. Vor der Tür saß erneut Rosalba, die Postfrau – mit ihrer dicken Strickjacke, einem Strohhut und einem Korb voller Briefe und Geheimnisse.

„Wollt ihr noch einmal hören, was keiner glaubt?“ fragte sie mit einem Funkeln in den Augen, als sie die beiden Touristinnen bemerkte.

Amanda nickte sofort. „Bitte… Erzählen Sie uns mehr über Prinzessin Lacrima.“

Rosalba stellte den Korb ab, verschränkte die Arme und sprach leise, fast verschwörerisch.

„Es ist nicht nur so, dass König Enrico seine Nichte einsperren ließ. Nein, er lässt sie bewachen. Und nicht etwa von Rittern oder Soldaten, wie man denken würde – sondern von fünfzig Kobolden."

„Kobolde?" Eleonore lachte unsicher. „Die mit den spitzen Ohren und grünen Mützen?"

Rosalba nickte ernst. „Früher waren sie freundlich, verspielt, ja sogar hilfsbereit. Sie lebten zwischen den Wurzeln der Lärchen und spielten mit den Gämsen. Aber Enrico hat sie verführt. Er schenkte ihnen goldene Orden, aus dem Metall der Bergsonne geschmiedet, und versprach ihnen noch mehr – die Blätter der Zaubereiche. Diese wachsen nur hoch oben, zwischen den Felsen, dort, wo der Wind nicht wagt zu verweilen."

„Was ist so besonders an diesen Blättern?“ fragte Amanda leise.

„Sie duften nach Macht“, sagte Rosalba. „Nach Wärme und Eitelkeit. Die Kobolde können ihnen nicht widerstehen. Jetzt patrouillieren sie in kleinen Trupps das ganze Tal hinauf bis zu den Dolomiten. Tag und Nacht. Sie werfen mit Steinen, flüstern falsche Wege in den Wind, machen, dass Menschen sich verirren.“

Die Mädchen sahen einander erschrocken an.

„Aber...“ fuhr Eleonore fort, „muss es denn gar keine Hoffnung geben, die Prinzessin zu befreien?“

Rosalba zögerte, dann lächelte sie schelmisch. „Oh, Hoffnung gibt es immer – denn auch Kobolde haben Schwächen. Und diese hier... haben eine ganz besondere.“

Sie beugte sich vor und flüsterte:

„Vergissmeinnicht, Himmelschlüssel, Tausendschönchen und Tränende Herzen."

„Blumen?" fragte Amanda verwirrt.

„Nicht irgendwelche", sagte Rosalba mit Nachdruck. „Wenn die Kobolde auch nur den Duft dieser Pflanzen wahrnehmen, bekommen sie Ausschlag, jucken sich wie wild – und einige werden sogar ohnmächtig."

Eleonore riss die Augen auf. „Das ist... ziemlich nützlich zu wissen."

„Nicht so schnell", mahnte Rosalba. „Schon viele haben versucht, Lacrima zu befreien. Männer mit glänzenden Rüstungen, Frauen mit scharfen Degen, sogar ein Kind mit einem Herzen wie ein Adler. Keiner kam weit. Die Kobolde lassen nicht mit sich reden. Ihre Steinschleudern sind schneller als jedes Wort."

Amanda spürte einen Kloß im Hals. Sie dachte an die Prinzessin, eingesperrt in einem Schloss, aus Kristall und Kälte. Eine junge Frau, die nur falsch geboren wurde – mit einem Herz, das singen konnte.

„Aber es gibt noch jemanden…“ murmelte Rosalba und sah versonnen in den Himmel.

„Wen?“ fragten die Mädchen gleichzeitig.

„Ein Sänger“, sagte sie. „Ein junger Mann, der in San Lorenzo wohnt. Er hat ein Lied gehört – nicht mit den Ohren, sondern mit der Seele. Er sagt, er habe das Gesicht der Prinzessin in einem Traum gesehen – so klar, als hätte er es selbst gemalt.“

„Und…?“ fragte Amanda gespannt.

„Er will sie retten“, sagte Rosalba leise. „Aber er glaubt nicht, dass er dazu bestimmt ist. Denn auf seinem Arm trägt er ein Muttermal – nicht rund, nicht eckig, sondern in der Form der Blume, die am tiefsten weint: das Tränende Herz.“

Die beiden Mädchen schwiegen. Eine Weile lang war nur das leise Rauschen der Bäume zu hören – und vielleicht, ganz leise, ein silbriger Ton in der Luft, wie eine Saite, die gezupft wurde, irgendwo fern in den Bergen.

„Was ist mit seinem Lied?“ fragte Eleonore schließlich.

Rosalba sah sie an. „Er sagt, es ist noch nicht vollständig. Aber vielleicht… fehlt ihm nur eine Melodie. Eine, die nur von zwei neugierigen Mädchen gebracht werden kann.“

Amanda und Eleonore sahen sich an – und sie wussten, dass sie gehen würden. Nicht sofort. Aber bald. Denn etwas hatte sie gerufen. Und jetzt kannten sie seinen Namen.

Lacrima.

Kapitel 2

Am späten Nachmittag begannen die Schatten in San Lorenzo länger zu werden, und die Berge glühten in rosigem Licht – das Alpenglühen, wie es die Einheimischen nannten. Amanda und Eleonore saßen am Brunnen auf dem Dorfplatz, noch ganz erfüllt von Rosalbas Worten, als plötzlich eine Melodie durch die Gasse wehte. Sanft und traurig, gespielt auf einer kleinen hölzernen Flöte, klang sie wie der Ruf eines Vogels, der etwas Verlorenes suchte.

„Da ist er“, sagte Amanda leise. „Das muss er sein.“

Der junge Mann saß auf einer Steinbank neben der alten Kirche. Er war schlank, trug einen dunkelblauen Schal trotz der sommerlichen Wärme, und seine Augen hatten den Ausdruck von jemandem, der mehr gesehen hatte, als er zeigen konnte.

Als er die beiden sah, lächelte er leicht. „Ihr habt von ihr gehört“, sagte er, ohne dass eine Begrüßung nötig gewesen wäre. „Von Lacrima.“

Amanda und Eleonore nickten. Er legte die Flöte beiseite und streckte ihnen die Hand hin. „Ich bin Roberto. Ich bin der Sänger, von dem Rosalba euch erzählt hat.“

Ein Moment des Schweigens folgte, bevor Eleonore fragte: „Ist es wahr, dass du sie gesehen hast?“

Roberto nickte. „In einem Traum. Oder vielleicht war es eine Erinnerung, die mir nicht gehört. Sie stand in einem Fenster aus Bergkristall, und ihr Blick war... einsam, aber wach. Als würde sie auf jemanden warten, der seinen eigenen Namen noch nicht kennt.“

Amanda setzte sich neben ihn. „Du willst sie befreien?“

Er zog den Ärmel seiner Jacke zurück. Auf seinem Unterarm zeichnete sich ein Muttermal ab, klar wie mit feiner Feder gezogen: die Silhouette eines Tränenden Herzens. „Ich dachte immer, es sei nur ein Makel. Aber vielleicht ist es ein Zeichen. Vielleicht auch ein Schlüssel. Oder ein Fluch."

Die drei schwiegen kurz, dann sagte Roberto: „Ich habe viel über die Kobolde gelernt. Sie verstecken sich oft in ihren Höhlen – tief in den Bergflanken, zwischen Rissen und Spalten, wo das Gestein warm schimmert. Dort sammeln sie Halbedelsteine – Quarz, Fluorit, Calcit, Dolomit..."

„Die Steine, die Rosalba erwähnt hat!" rief Amanda.

„Ja", sagte Roberto. „Sie sind überall dort oben zu finden. Doch die Kobolde... sie verachten sie fast. Sie interessieren sich nur für Dinge, die selten sind. Dinge, die Macht oder Status bedeuten – wie die goldenen Blätter der Zaubereichen. Alles andere liegt einfach herum."

„Das klingt… sehr menschlich", murmelte Eleonore.

Roberto nickte traurig. „Ja. Wir werfen auch Schönheit weg, nur weil sie zu oft vorkommt."

Er nahm einen kleinen, matten Stein aus seiner Tasche und hielt ihn hoch. Ein violetter Fluorit, roh und ungeschliffen. „Dieser hier liegt direkt vor einer Höhle. Ich hätte ihn fast übersehen. Aber in der Sonne hat er gezittert wie Musik."

„Und… was ist mit deinem Muttermal?" fragte Amanda. „Warum versteckst du es manchmal?"

Roberto zögerte, dann antwortete er: „Die Zaubereichen, die so hoch oben wachsen, tragen nicht nur goldene Blätter. Sie bilden manchmal Galläpfel – kleine, runde Gebilde, aus denen eine dunkle Tinte gewonnen werden kann. Alte Geschichten sagen, man könne mit ihr Narben verschwinden lassen. Oder Zeichen. Oder… Prophezeiungen."

Eleonore beugte sich vor. „Du meinst, du könntest damit… dein Muttermal unkenntlich machen?"

„Vielleicht", sagte Roberto. „Aber ich weiß nicht, ob ich es sollte. Vielleicht ist es gerade das Zeichen, das Lacrima in mir erkennen würde."

Ein Windhauch fuhr durch die Gasse, und für einen Moment schien es, als trage er eine Melodie mit sich – fern, verhallt, wie aus einer anderen Welt.

Dann stand Roberto auf. „Ich werde morgen gehen. Ich habe einen alten Pfad gefunden, der zu einem Grat führt, wo die Zaubereichen noch wachsen. Es wird beschwerlich, aber ich glaube… ich bin nicht mehr allein."

Amanda und Eleonore sahen sich an – und lächelten.

„Wir kommen mit“, sagte Eleonore.

„Natürlich“, fügte Amanda hinzu. „Du brauchst jemanden, der Vergissmeinnicht erkennt, bevor du in Ohnmacht fällst.“

Roberto lachte zum ersten Mal – ein warmer, ehrlicher Klang. Dann blickte er auf den Horizont, dorthin, wo die Berge standen wie alte Götter im Abendlicht.

„Dann brechen wir morgen auf“, sagte er. „Dorthin, wo das Lied beginnt.“

Kapitel 3

Der nächste Morgen begann mit Nebel, der wie ein Schleier zwischen den Bäumen hing. Die Sonne ließ sich kaum blicken, als Amanda, Eleonore und Roberto den kleinen Dorfpfad verließen und dem uralten Steig durch die Grünen Alsen folgten – ein vergessener Weg, der sich zwischen knorrigen Bäumen, feuchten Farnen und moosbedeckten Steinen den Hang hinaufschlängelte. Es hieß, in dieser Gegend hätte das erste Lied des Waldes einst geklungen – sanft, tief und kaum hörbar, wie das Herz der Erde selbst.

Roberto blieb zurück, als sie die ersten Hänge erreichten.

„Hier ist der Wasserfall“, sagte er leise. Er zeigte auf eine verborgene Stelle, wo ein schmaler Wasserlauf von einer Felswand stürzte und in einem klaren Becken verschwand. „Die Kobolde können mein Muttermal spüren, wenn ich ihnen zu nahe komme. Es... zieht an ihnen, wie der Wind an einer losen Saite."

Er zog sich in die Mulde hinter dem Wasserfall zurück – eine feuchte, felsige Kammer, kaum größer als ein Schafstall, aber gut verborgen. Amanda drückte ihm zum Abschied ein kleines Bündel mit getrocknetem Brot, Nüssen und einem roten Apfel in die Hand.

„Wir kommen zurück. Mit einem Gallapfel", sagte sie bestimmt.

„Und einem Lied", ergänzte Roberto. „Ich werde es hier vollenden, wenn ihr mir die Zeit verschafft."

*

Die beiden Frauen gingen weiter, tiefer in die Grünen Alsen hinein. Der Wald wurde stiller, und die Bäume standen wie uralte Wächter. Zwischen den Stämmen leuchteten hier und da Farbtupfer – Vergissmeinnicht, Himmelschlüssel und Tausendschönchen, als hätten sie sich extra gezeigt, um an ihre Kraft zu erinnern.

„Vielleicht wissen die Blumen mehr, als wir ahnen", flüsterte Eleonore.

Nach einer Stunde Aufstieg, der sie durch dichte Brombeersträucher und über umgestürzte Baumstämme führte, lichtete sich der Wald. Vor ihnen lag eine flache Lichtung, auf der ein einziger Baum stand: eine Zaubereiche, breit, mit goldgrünen Blättern, die im Wind wie leise klingende Glöckchen raschelten.

Zwischen den Blättern hingen sie: Galläpfel – rund, schwarzbraun, glänzend wie Tinte selbst. Amanda trat näher, streckte die Hand aus – doch da raschelte es plötzlich im Gebüsch.

„Oh, entschuldigt die Störung!"

Eine kleine Gestalt stand am Rand der Lichtung. Er war kaum größer als ein Dachs, trug eine Weste aus Laubstücken, hatte buschige Augenbrauen und funkelnde Augen wie schwarze Glasknöpfe. In der Hand hielt er einen Wanderstock mit einem Quarzstück am oberen Ende.

„Ich bin Trombo“, sagte er, mit einem höflichen Bückling. „Ein Wanderkobold. Ihr seid nicht von hier, nicht wahr?“

Amanda und Eleonore wechselten einen schnellen Blick.

„Touristinnen“, sagte Amanda schnell. „Wir wollten nur… ein paar seltene Blätter fotografieren.“

„Wegen der Farbe“, ergänzte Eleonore. „Sieht bestimmt hübsch aus auf… Instagram.“

Trombo schien zu nicken, auch wenn es bei seinem großen Kopf eher wie ein Wippen wirkte.

„Nun, nun… Touristen also“, sagte er gedehnt. „Da oben kommt ihr aber gefährlich nahe an königliches Gebiet.

Nicht dass ihr aus Versehen ins Schlossgebiet stolpert – da verirren sich manchmal Leute, und dann… sieht man sie lange nicht wieder."

Er kicherte, aber es klang nicht besonders freundlich.

„Wir gehen gleich wieder", sagte Amanda rasch und trat zwischen ihn und die Eiche. Hinter ihrem Rücken fingerte Eleonore bereits nach einem der Galläpfel.

„Sagt mal", fragte Trombo nun mit gespielt beiläufigem Ton, „habt ihr zufällig etwas über eine gewisse… Lacrima gehört? Nur so ein Name, der manchmal durch den Wind fliegt."

„Nie gehört", log Amanda, ohne zu zögern.

Trombo schnüffelte, als könnte er die Wahrheit riechen. Dann lächelte er.

„Nun, wenn ihr euch wirklich nur für Blätter interessiert… nehmt doch einen mit. Aber... Vorsicht beim Pflücken. Die Zaubereiche prüft, wer sie berührt."

Eleonore hatte in diesem Moment bereits einen Gallapfel abgedreht, vorsichtig und mit beiden Händen. Der Ast zuckte, als würde er sie erkennen – doch nichts geschah. Der Gallapfel war warm in ihrer Hand. Wie Tinte, die noch lebt.

„Danke, Trombo", sagte Amanda freundlich.

„Ach, nichts zu danken", erwiderte der Kobold und machte ein kleines Tänzchen. „Ich bin überall, wo man mich am wenigsten erwartet. Vielleicht sehen wir uns wieder. Vielleicht nicht. Vielleicht... wer weiß."

Und mit diesen Worten verschwand er im Gebüsch – lautlos, wie nur Kobolde es können.

Die beiden Frauen standen still, den Gallapfel in der Hand, die Luft plötzlich schwerer als zuvor.

„Er weiß etwas“, sagte Eleonore leise.

„Ja“, antwortete Amanda. „Aber wir haben etwas, das Roberto braucht. Und wenn wir schnell sind, ist Trombo nur ein Schatten hinter uns.“

Sie sahen sich noch einmal die Zaubereiche an, dann begannen sie den Abstieg – mit schnellem Schritt, der Melodie der Berge im Ohr, und dem Wissen, dass die wahre Prüfung noch vor ihnen lag.

Kapitel 4

Der Abstieg durch die Grünen Alsen schien kürzer zu sein als der Aufstieg – vielleicht, weil Amanda und Eleonore nun ein Ziel in den Händen hielten. Der Gallapfel war schwerer geworden, je näher sie dem Wasserfall kamen, als hätte er längst gespürt, was ihm bevorstand.

Der Schleier des Wasserfalls rauschte wie ein Vorhang aus Licht und Klang, als die beiden schließlich wieder an der verborgenen Felskammer ankamen. Roberto trat sofort aus dem Schatten hervor, seine Augen voller Erwartung. In der Stille der Felsen hatte er auf sie gewartet, die Flöte in der Hand, ein paar Noten auf ein Stück Birkenrinde gekritzelt.

„Ihr seid zurück", sagte er, und seine Stimme klang wie ein Versprechen.

Amanda öffnete das Tuch, in das sie den Gallapfel gewickelt hatten. Roberto beugte sich über die Frucht, betrachtete sie ehrfürchtig, als wäre sie ein Herz aus einem alten Märchen.

„Ich habe in der Zeit hier am Wasserfall... Musik gehört", sagte er leise. „Nicht mit den Ohren. Aber mit etwas Tieferem. Es sind Lieder aus Stein, glaube ich. Ich muss sie finden – und sie aufschreiben, bevor sie mir entgleiten."

„Lieder aus Stein?" fragte Eleonore.

„Ja", antwortete Roberto. „Ich glaube, sie leben dort, wo die Kobolde ihre Edelsteine horten. Nicht die goldenen Dinge, die sie begehren – sondern die einfachen, unscheinbaren Halbedelsteine, die niemand will. In ihnen sind... Töne eingeschlossen. Alte Harmonien. Ich weiß, wenn ich sie höre, werde ich das Lied finden, mit dem man Enrico entwaffnen kann."

Amanda reichte ihm ein kleines Messer. „Dann solltest du dich vorbereiten. Wenn das Muttermal dich verrät, kommst du gar nicht erst in die Nähe einer Höhle."

Roberto setzte sich auf einen glatten Stein neben dem Wasserfall. Amanda legte den Gallapfel auf und schnitt ihn vorsichtig auf. Aus dem Inneren quoll eine dunkle, glänzende Tinte, beinahe schwarz-violett – sie roch nach Erde, Eiche und einem Hauch von Metall.

Mit einem dünnen Zweig strich Amanda vorsichtig über das Muttermal. Die Tinte war kühl und zog sich über das Tränende Herz wie ein Schleier. Langsam verschwand die klare Form der Blume – stattdessen blieb ein dunkler Schatten zurück, formlos und geheimnisvoll.

„Sieht... fast aus wie ein gewöhnlicher Fleck", sagte Eleonore anerkennend.

Roberto betrachtete seinen Arm, als hätte er gerade ein Teil seiner selbst begraben – oder befreit.

Doch in diesem Moment geschah etwas.

Die Tinte begann zu glimmen. Nicht hell, nicht laut – aber wie eine unsichtbare Note, die sich in die Luft hob. Roberto hielt erschrocken den Atem an. Auf seinem Unterarm begannen feine Linien zu erscheinen, wie gezeichnete Ranken. Sie bewegten sich langsam, als suchten sie nach etwas.

„Was ist das?“ flüsterte Amanda.

„Die Tinte... lebt“, sagte Roberto. „Sie erkennt etwas in mir. Oder vielleicht... in euch.“

Plötzlich wurde es still. Der Wasserfall klang gedämpft. Die Luft war schwer, als würde sie auf einen Ton warten.

Und dann erklang ein einzelner, klarer Klang – wie das Anschlagen eines Kristalls mit einem Silberlöffel.

Roberto sah auf.

„Das war ein Tonstein", sagte er. „Ich... ich glaube, er hat auf meinen Arm geantwortet."

Eleonore trat einen Schritt zurück. „Du meinst... die Tinte hat etwas freigesetzt?"

„Nicht nur versteckt, sondern... geöffnet", murmelte Roberto. „Vielleicht kann ich jetzt in die Höhle. Vielleicht bin ich jetzt... wie sie."

„Wie ein Kobold?" fragte Amanda.

Roberto schüttelte den Kopf. „Nein. Wie jemand, den sie nicht mehr erkennen."

Ein Lächeln zog über sein Gesicht. Aber es war nur kurz – denn in der Ferne, irgendwo tief in den Bäumen, erklang ein kehliges, singendes Summen.

Ein Koboldlied.

Roberto trat sofort zurück in den Schutz des Wasserfalls.

„Es wird Zeit“, sagte er. „Ihr habt mir den Weg gezeigt. Jetzt müssen wir in die Berge. Ich muss zu den Steinen, bevor das Lied wieder verstummt.“

Kapitel 5

Die Dämmerung legte einen silbernen Schleier über den Wasserfall, als sich plötzlich ein Flirren in der Luft zeigte – kaum sichtbar, kaum hörbar. Nur Roberto, der gerade seine Flöte still in der Hand hielt, bemerkte ein kaum wahrnehmbares Flimmern, das sich wie ein warmer Hauch auf seiner Schulter niederließ.

Ein Klang wie das Klingen eines gläsernen Tropfens erklang – hoch, rein und vollkommen. Amanda und Eleonore blickten auf – und da stand sie:

Lorena.

Nicht größer als eine Libelle, mit durchscheinenden Flügeln, die wie flüssiges Licht zitterten, und einem Körper so fein und schimmernd wie Spinnwebenseide in der Morgensonne. Ihr Gesicht war zart und ausdrucksvoll, ihre Augen wie kleine Tautropfen, in denen sich Geschichten spiegelten.

„Roberto…“ sprach sie mit einer Stimme, die wie Musik klang, „deine Melodie hat mich gerufen. Ich bin Lorena, ehemalige Hofelfe im Palast der Prinzessin Lacrima.“

Amanda blinzelte. „Hofelfe? Im Schloss?“

„Ja“, sagte Lorena und landete leicht auf einem Farnblatt, das sich unter ihr kaum bewegte. „Früher war das Schloss ein Ort der Lieder. Jede Tür sang beim Öffnen, jede Stufe sprach mit den Füßen. Ich war eine Melodiensammlerin – ich bewahrte Klang, wie andere Blumen pressen.“

Eleonore trat näher. „Und jetzt?“

Lorenas Augen wurden dunkel. „Jetzt… herrscht nur noch Enricos Klang. Dumpf, schwer, traurig. Eine Musik, die nicht heilt, sondern lähmt. Er webt mit seiner Flöte düstere Melodien, um Suchende zu verwirren, sie auf falsche Pfade zu locken, ihre Herzen zu dämpfen.“

„Dann müssen wir schneller sein“, sagte Roberto. „Ich brauche Töne, die ihn übersteigen.“

Die kleine Elfe nickte. „Es gibt einen Ort, den ich kenne. Eine Höhle, die Quarze trägt, die singen – nicht laut, nicht sofort. Aber wer ihre Sprache hört, dem antworten sie. Sie gehören Trombo, doch er ist noch fern bei der Zaubereiche. Seine Höhle ist heute unbewacht.“

Roberto stand auf. „Führ uns dorthin.“

„Folgt mir“, sagte Lorena. Und mit einem leuchtenden Zucken verschwand sie – schneller als das Licht. Nur eine Spur aus schimmerndem Glanz und ein leiser Ton wie das Lachen eines Windspiels blieb zurück.

*

Lorena tauchte immer wieder kurz auf, um den Weg zu zeigen: über moosige Hügel, an flüsternden Tannen vorbei, bis sie vor einem Felsentor hielten, das kaum zu erkennen war – bedeckt mit Flechten und weichem Gras, als hätte es Jahrhunderte geschlafen.

„Hier“, sagte sie. „Dies ist die Höhle der Quarze.“

Roberto trat vor. Amanda legte eine Hand auf seine Schulter. „Wir bleiben hier. Vielleicht... hören die Steine besser, wenn wir nicht stören.“

„Danke“, flüsterte er.

Er betrat die Höhle. Gleich am Eingang umfing ihn ein sanftes, kühles Summen – kaum hörbar, aber spürbar. Die Wände waren übersät mit Quarzadern, klaren Kristallen, manche matt, manche funkelnd, als warteten sie nur auf den richtigen Ton.

Lorena folgte ihm hinein, schwebte leicht über dem Boden.

„Du musst nichts spielen“, flüsterte sie. „Nur hören.“

Roberto setzte sich auf den Höhlenboden, legte die Flöte neben sich und schloss die Augen. Und dann – langsam – begann er zu spüren.

Ein Klang. Zuerst wie ein ferner Glockenton. Dann mehrere – wie Tropfen auf Glas, wie Stimmen aus einem Traum.

Jeder Quarz trug einen Ton – und gemeinsam bildeten sie eine Tonleiter, die sich nicht nach menschlichen Regeln richtete, sondern nach alten Harmonien der Erde.

Roberto öffnete die Augen. Lorena schwebte über einem klaren Kristall, ihre Hände über der Spitze.

„Dieser hier… kennt Lacrimas Ton“, sagte sie leise.

Roberto hob die Flöte. Langsam, vorsichtig spielte er einen Ton – nicht einen, den er gelernt hatte, sondern einen, der in seinem Innersten geboren worden war.

Der Kristall antwortete.

Ein zweiter Ton folgte – aus einem Quarz weiter hinten in der Höhle.

Dann ein dritter, dann ein vierter.

Es war, als würde die Höhle mitspielen – ein Duett zwischen Mensch und Stein.

Draußen lauschten Amanda und Eleonore mit angehaltenem Atem.

„Hörst du das?“ flüsterte Eleonore.

„Ja“, sagte Amanda. „Die Steine… singen

Im Innern der Höhle wusste Roberto: Diese Töne, diese Frequenzen – sie würden Türen öffnen. Vielleicht nicht aus Holz oder Metall, sondern Türen aus Magie und Erinnerung.

Und irgendwo, tief im Schloss, wartete Lacrima.

Kapitel 6

Als Roberto aus der Quarzhöhle trat, wirkte er wie verwandelt. Seine Augen glänzten, seine Bewegungen waren leichter, fast tänzerisch. In den Händen hielt er seine Flöte, und zwischen den Fingern klemmte ein kleines, selbst geschnitztes Notenstück aus Rindenpapier.

Amanda und Eleonore liefen ihm entgegen.

„Und?“ fragte Amanda aufgeregt.

Roberto hob das Rindenstück wie ein kostbares Juwel. „Ich habe sie gehört. Die Quarze... sie antworten, wenn man richtig lauscht. Sie sprechen in Tonfolgen – wie eine Sprache aus Licht und Schwingung. Und ich konnte sie aufschreiben. Ein erstes Fragment des Liedes, das die Tore öffnen kann.“

Lorena schwebte über seinem Kopf, ein zartes Glitzern in der Luft. Ihre Flügel flirrten im Takt eines kaum hörbaren Tons. „Ich wusste es!“, sang sie. „Die Musik lebt noch. Und du bist derjenige, der sie wieder zum Klingen bringen kann.“

Roberto lachte – frei, klar, mit einer Stimme, die selbst den Wasserfall kurz innehalten ließ.

„Es fühlt sich an, als hätte ich etwas zurückbekommen, das ich nie bewusst verloren hatte.“

„Und wir sind dabei!“, rief Eleonore.

Amanda nickte. „Wir sind auf dem richtigen Weg.“

Lorena flog eine kleine Schleife in der Luft. „Dann verlieren wir keine Zeit. Die nächste Höhle ist ganz nah. Ich kann ihren Klang hören, wenn ich mich dem Boden nähere. Es ist die Höhle von Kobold Egoisto.“

„Egoisto?“ fragte Amanda.

„Er ist ein Sonderling“, sagte Lorena. „Er liebt seine Ruhe, seine Steine, seine Ordnung. Und er hasst die militärischen Übungen, zu denen König Enrico ihn zwingt. Genau genommen... hassen das alle Kobolde.“

„Das hätte ich nicht erwartet“, murmelte Roberto.

„Die meisten waren einst freundlich“, erklärte Lorena sanft. „Es war Enricos Musik, die sie gebrochen hat. Dumpfe, kalte Töne, die sie gefügig machten. Die Übungen sind nur noch ein Mittel der Kontrolle.“

„Und Egoisto ist gerade bei einer dieser Übungen?“ fragte Amanda.

„Ja“, bestätigte Lorena. „Ich habe ihn am Berghang gesehen, mit bleierner Miene. Seine Höhle müsste also... leer sein.“

*

Wenige Minuten später standen die drei abseits eines moosbewachsenen Felsens, der in den Hang eingebettet war. Zwischen den Steinen führte ein kaum sichtbarer Pfad zu einem dunklen Spalt in der Felswand. Lorena deutete darauf.

„Dort“, sagte sie. „Hinter diesen Steinen liegt eine Kammer voller Resonanzsteine. Ich habe sie einmal gehört – sie vibrieren im Schlaf.“

„Dann sollten wir hineingehen“, sagte Roberto leise.

„Warte“, sagte Amanda plötzlich. „Da kommt jemand...“

*

Ein Rascheln, ein Knacken, dann ein bekanntes Geräusch: das krächzende Kichern eines Kobolds, der sich nicht entscheiden kann, ob er freundlich oder gefährlich sein will.

Aus dem Unterholz trat Trombo. Seine Augen verengten sich sofort, als er Amanda und Eleonore erkannte.

„Na, na, na... was seh ich denn da? Zwei Touristinnen, schon wieder ganz nah an einem sensiblen Bereich. Ihr habt wohl Gefallen an diesem Fleckchen Erde mit seinen Schluchten und Höhlen gefunden, hm?“

Sein Blick schweifte zu Roberto. Normalerweise hätte er ihn am Muttermal erkannt – aber dank der Tinte sah der Arm aus wie der eines beliebigen Wanderers. Trombo kniff die Augen zusammen.

„Und wer ist das? Noch ein Pflanzenfreund? Oder... ein Vogelbeobachter?“

„Wir... wir wollten nur nach seltenen Moosen schauen“, sagte Amanda schnell. „Unsere Kamera hat vorhin hier etwas geblitzt. Wir wollten die Stelle wiederfinden.“

Roberto blieb ruhig. „Ich interessiere mich für Mineralien“, sagte er in möglichst banalem Ton. „Ich sammele... Klänge. Für ein kleines Musikprojekt.“

Trombo schnaubte, blähte die Backen auf. „Klang. Hah. Alles klingt. Selbst der König, wenn er gähnt.“

Er trat näher, schnupperte, die Nase zuckend wie bei einem Maulwurf. Dann rieb er sich am Kinn.

„Seltsam. Ich spüre nichts... aber mein Bauch sagt: Ihr führt etwas im Schilde.“

„Wir wissen nicht einmal, was eine Schildführung ist“, versuchte Eleonore. Doch ihr Lächeln war zu angespannt.

Trombo trat noch einen Schritt näher. „Und wenn ihr wirklich nur Pflanzen und Berge fotografiert... warum schleicht ihr dann um Egoistos Höhle herum, während er nicht da ist?“

Ein Moment des Schweigens. Lorena schwebte reglos im Schatten eines Farnblatts, bereit, jeden Moment davonzufliegen.

Amanda öffnete den Mund – aber bevor sie antworten konnte, erklang plötzlich aus der Ferne ein lauter, schriller Hornstoß. Die Bäume erzitterten.

Trombo zuckte zusammen. „Übungsbeginn, Teil zwei“, knurrte er. „Muss sofort zurück. Diese Übungen! Als wäre ich ein Murmeltier im Gleichschritt!“

Er warf den drei einen letzten, misstrauischen Blick zu. „Bleibt hier. Und fasst nichts an. Ich komme wieder. Und wehe, jemand hat Egoistos Quarze durcheinandergebracht.“

Dann verschwand er zwischen den Sträuchern, murmelnd und schimpfend über „Touristen, die plötzlich um Mineralien herumschleichen.“

Sobald Trombos Schritte verklungen waren, trat Lorena wieder hervor. „Das war knapp. Aber jetzt müssen wir schnell sein.“

Roberto nickte. Er war bereit.

Die Höhle von Egoisto wartete.

Und irgendwo darin: die nächsten Töne, die nächsten Fragmente des verlorenen Liedes von Prinzessin Lacrima.

Kapitel 7

Roberto trat leise in die Höhle ein. Hinter ihm, draußen unter den niedrigen Ästen einer knorrigen Latschenkiefer, warteten Amanda und Eleonore. Lorena hatte sich in ein Farnblatt gelegt und schlief, winzig und leuchtend wie ein Glühwürmchentraum.

Im Innern der Höhle war es kühl und roch nach nassem Stein, Moos und Eisen. Zwischen den Wänden glitzerten Halbedelsteine wie eingefrorene Sternenfunken: Rauchquarz, Aventurin, Amethyst und Bergkristall. Roberto schritt vorsichtig, als würde er in einem heiligen Tempel wandeln. Jeder Schritt hallte leise.

Er legte die Hand auf einen Quarzbrocken. Warm. Lebendig. Und – da war es wieder: ein kaum hörbarer Ton. Wie ein einstimmiger Chor aus tiefer Erde.

Doch plötzlich:

„Ach nö.“

Die Stimme kam von unten. Roberto sah sich um – und entdeckte neben einem Stein einen massigen, feuchten Körper mit glitschiger Haut und halbgeschlossenen Augen.

Eine Kröte, träge, faltig und von ausdrucksloser Genervtheit erfüllt.

„Wer bist du?" fragte Roberto freundlich.

Die Kröte blinzelte. „Egalo. Ist aber egal."

„Ich störe dich hoffentlich nicht?"

„Ach... ich bin eh ständig gestört. Innen, außen, seelisch. Ich bin Kröte. Da stört alles. Selbst du."

„Oh. Ich... wollte nur..."

„Du bist Musiker. Das hört man. Ihr Musiker seid alle anstrengend. Gefühle, Schwingungen, Träume – bäh."

Roberto schmunzelte. „Und was machst du so den ganzen Tag hier?"

Egalo streckte die Beine, was nur darin bestand, sich noch tiefer in den Stein zu drücken. „Ich atme. Ich starre. Ich schlafe. Manchmal denke ich kurz, aber dann fällt mir ein: wozu?“

„Aha“, murmelte Roberto. Er spürte, wie seine Inspiration wie eine schimmernde Seifenblase langsam zerplatzte. „Dann... ruh dich weiter aus.“

„Mach ich sowieso“, gähnte Egalo. „Wenn du gehst, oder bleibst... ist mir egal.“

Er rollte sich zur Seite, schob einen glatten Aventurin unter seinen dicken Bauch und schloss die Augen.

Roberto lächelte gequält, seufzte und ging ein paar Schritte tiefer in die Höhle hinein – bis plötzlich ein hochfrequentes Quieken die Stille durchriss.

„Was ist denn HIER los?!“

Aus einer Felsspalte flatterte ein kleiner, zotteliger Schatten: eine Fledermaus, die hektisch mit den Flügeln schlug und wild umherflog. Sie wirkte wie jemand, der gerade aus einem viel zu schönen Traum gerissen worden war.

„Wie kann man so summen?! So summend hier reinplatzen?! So voller... so voller... MELODIEN?!"

„Oh – Verzeihung", sagte Roberto rasch. „Ich wusste nicht, dass ich jemanden störe."

„Natürlich störst du! Du bist eine Akkordkollision mit Beinen! Ich bin Natascha, und ich bin sensibel! Diese Höhle ist mein Rückzugsort! Meine Dunkelheit! Meine Klangfreiheit! Und du bist wie ein klingelndes Windspiel im Sturm!"

Roberto hob beschwichtigend die Hände. „Ich wollte keine Unruhe stiften. Ich suche nur nach... nach Klängen, die helfen könnten, die Prinzessin Lacrima zu befreien."

Natascha hielt in der Luft inne. „Prinzessin Lacrima?"

„Ja."

„Ach... die. Die mit der sanften Stimme. Ich erinnere mich. Musik überall damals. Jetzt ist alles... verstummt."

Ein Moment der Stille entstand. Dann schüttelte Natascha den Kopf, fast wie beleidigt. „Trotzdem! Du summst. Du bringst Unordnung. Egoisto wird das merken!"

„Ist der wirklich so streng?" fragte Roberto vorsichtig. „Ich meine... er heißt Egoisto."

Natascha landete kopfüber an einem Stein, faltete ihre Flügel ein. „Am Tag ja. Ganz der große Chef. Auftritte, Militärgehabe, Befehl und Kontrolle. Aber in der Nacht..." – sie senkte ihre Stimme – „in der Nacht kuschelt er mit einem Murmeltier."

„Wie bitte?“

„Ein Kuscheltier. Ein echtes. Es schläft in seinem Arm. Er nennt es Schnuff.“

Roberto blinzelte. „Das ist... rührend.“

„Ja“, flüsterte Natascha. „Und ein bisschen eklig. Aber auch irgendwie süß.“

Ein leises Lächeln huschte über Robertos Gesicht. In diesem Moment wurde ihm klar, dass selbst in dieser kühlen, scheinbar kontrollierten Welt Weichheit lebte. Und genau diese Erkenntnis löste in ihm einen neuen Ton aus.

Er schloss die Augen und summte – ganz leise, kaum hörbar – eine Melodie, die Mitgefühl und Geborgenheit trug. Sie war warm, weich, rund – wie eine musikalische Umarmung.

Natascha zitterte leicht. Dann rollte sie sich zusammen und ließ sich langsam nach unten sinken, direkt auf einen glattpolierten Mondstein. Ihre Stimme war jetzt kaum noch ein Hauch:

„So... geht's. Der Ton... ist gut. Schlaf... ich... schlaf jetzt..."

Und sie schlief ein.

Roberto verharrte in Stille, in Ehrfurcht. Dann legte er die Finger an den Quarz, der schimmerte wie gefrorene Musik. Und langsam... begann er zu schreiben.

Kapitel 8

Als Roberto aus der Höhle trat, war die Sonne bereits tief gesunken, und die letzten Lichtstrahlen spiegelten sich im Wasserfall, der silbrig schimmernd neben dem schmalen Pfad zu Tal stürzte. Amanda und Eleonore sprangen auf, als sie ihn sahen, und liefen ihm entgegen.

„Und?“, fragte Amanda atemlos. „Konntest du etwas finden?“

Roberto nickte und strahlte. „Ja... viel mehr, als ich erwartet hatte. Es ist eigenartig – in dieser Höhle gibt es keinen Glanz, der einen blendet. Alles ist sanft, fast scheu. Aber genau das hat mich inspiriert. Die Steine... klingen nicht laut. Sie flüstern. Und mit jedem Ton, den ich gehört habe, ist in mir ein neues Lied gewachsen.“

„Wie wunderschön“, sagte Eleonore leise. „Und die Bewohner der Höhle?“

„Eine Kröte, die sich Egalo nennt und alles egal findet, und eine sehr empfindliche Fledermaus namens Natascha, die mich beinahe verjagt hätte – aber sie hat sich durch die Musik beruhigt. Ich glaube… sie hat mir etwas gezeigt, ohne es zu wissen: Dass auch in harter Umgebung etwas Zartes schlummert. Und dass Musik das Tor zu verborgenen Wahrheiten sein kann."

Amanda legte die Hand auf seine Schulter. „Dann bist du auf dem richtigen Weg."

Roberto wollte gerade antworten, als ein feines, glitzerndes Flirren durch die Luft strich – wie das leise Summen eines Kristallwinds. Ein Lichtbogen schoss durch das Geäst, machte eine enge Kurve und **landete in ihrer Mitte**: **Lorena**, kleiner als eine Libelle, mit schimmernden Flügeln, deren Farben sich je nach Licht veränderten. Ihre Augen waren groß, wach und erfüllt von Dringlichkeit.

„Ihr müsst aufbrechen. Jetzt."

„Was ist geschehen?“ fragte Roberto sofort.

Lorena faltete ihre Flügel und sprach rasch, fast flüsternd, aber ihre Stimme war klar wie Glas: „Ich war oben über den Pässen, ich bin durch die Nebelfelsspalten und über das Silberjoch geflogen. Enriko hat eine große Übung angesetzt – fast alle Kobolde sind einberufen worden. Sie marschieren im Takt, tragen Felshelme und führen nutzlose Befehle aus, die keiner versteht. Einige Pässe und sogar die Hängebrücke über das Schwarzmoortal sind nur spärlich bewacht.“

„Das ist unsere Chance?“, fragte Eleonore.

„Ja!“, sagte Lorena und flatterte kurz auf. „Und heute ist Neumond – die Nacht ist so dunkel, dass selbst die Berggeister sie nicht ganz durchdringen können. Enriko wird nach der Übung in seinem Schreibzimmer sein, um sein Protokoll zu verfassen. Und wahrscheinlich... wird er danach sein Lieblingsritual ausüben.“

„Was für ein Ritual?“, fragte Amanda.

Lorena verzog den Mund, als müsse sie sich zusammenreißen, um nicht loszulachen. „Er spielt das ganze Manöver noch einmal nach. Mit kleinen Zinnsoldaten. Auf einem riesigen Sandtisch mit winzigen Bäumen und Felsen. Dabei spricht er die Rollen laut nach – auch die der Kobolde, der Angreifer und sogar... des Windes.“

„Das ist doch nicht dein Ernst!“, rief Eleonore.

„Doch“, sagte Lorena ernst. „Er nennt es: *Nachbereitungsstrategie mit Potenzial zur Fehleranalyse*. Sein Finanzminister hasst es – er behauptet, die Zinnfiguren seien teuer, und außerdem gäbe es gar keine Feinde. Aber Enriko glaubt, dass eines Tages jemand versuchen wird, Lacrima zu befreien – und dafür will er gerüstet sein.“

„Dann ist das heute unsere einzige echte Gelegenheit“, murmelte Roberto. „Wenn er beschäftigt ist, können wir ins Schlossgelände vordringen. Vielleicht sogar bis zu Lacrima.“

Lorena flog einen Kreis um die drei. „Deshalb dürfen wir keine Zeit verlieren. Ich habe einen Pfad gesichtet, der durch den alten Lärchenhain führt. Von dort aus gelangen wir unbemerkt in die Nähe des äußeren Schlossrands. Wenn wir Glück haben, werden die letzten Wachen dort müde sein… und abgelenkt.“

Amanda und Eleonore sahen einander an. Keine zögerte.

„Wir sind bereit“, sagte Amanda.

„Los geht's“, flüsterte Roberto und packte seine Flöte fester.

Dann machten sie sich auf den Weg – durch dunkler werdende Wälder, entlang schmaler Grate, in eine Nacht, die mehr versprach als nur Schatten.

Denn irgendwo da oben, zwischen Stein, Gesang und Sternen, wartete eine Prinzessin.
Und vielleicht... ein letzter, entscheidender Ton.

Kapitel 9

Im Nordflügel des verwunschenen Schlosses, dort, wo die Fenster mit dicken Samtvorhängen verdunkelt waren und die Uhren längst keine Zeit mehr anzeigten, saß König Enrico an seinem sogenannten *strategischen Überdenkungstisch*. Vor ihm ein zerzauster Sandkasten, in dem winzige Zinnsoldaten, Miniatur-Kobolde und hölzerne Berge aufgereiht waren. Neben ihm: Salvatore Demokrazio, sein langjähriger, müder Finanzminister.

„Und da – DA!“, rief Enrico, seine Stimme überschlug sich vor Entrüstung, „da sind sie wieder völlig aus dem Takt geraten! Sieh dir diesen Trupp an! Statt westlich zu marschieren, watscheln sie ostwärts wie eine Schar besoffener Murmeltiere!“

Er schnippte ärgerlich mit seinem silbernen Zeigestab gegen eine Gruppe schiefer Koboldfiguren, die augenblicklich umkippten.

Salvatore seufzte. Er hatte das ganze Spiel nun schon zum dritten Mal an diesem Abend über sich ergehen lassen. Der Wein – dunkelrot, schwer und aus den geheimen Kellern des Schlosses – begann langsam, seinen Geist zu vernebeln. Und doch rang er sich eine Antwort ab.

„Majestät... vielleicht ist es auch einfach der Sand, der nachgegeben hat? Oder... vielleicht sind die Figuren zu leicht gebaut?"

„Nein, Salvatore! Es ist INKOMPETENZ! Diese Kobolde taugen nichts! Ich habe ihnen goldene Orden versprochen, sogar eigene Lieder für ihre Märsche schreiben lassen – aber was nützt das, wenn sie wie Schafe mit Schuhen herummarschieren?"

„Sire, ihr wisst, dass Kobolde ursprünglich keine Soldaten sind", versuchte Salvatore vorsichtig. „Sie waren einmal Sammler, Sänger, sogar Handwerker... bis Ihr sie rekrutiert habt."

Enriko schnaubte. „Handwerker! Sollen sie sich doch Werkzeuge schnitzen! Ich brauche keine Stühle – ich brauche SIEGE! Vielleicht sollte ich die Zaubereichen vernichten, ja! Dann hören sie auf, ständig ihre glitzernden Blätter zu pflücken wie Kinder Bonbons!"

„Die Zaubereichen?", fragte Salvatore entsetzt. „Aber... Majestät, sie stabilisieren das Bodenklima, regulieren das Nebelwachstum und versorgen die unteren Höhlen mit Lichtspiegelungen!"

Enriko winkte ab. „Klimazeug! Lichtzeugs! Ich will GLANZ! Macht! Ordnung! Und..." – er beugte sich vor – „Angriffspläne. Du bist schließlich mein Minister für alles."

„Ich bin Finanzminister", erwiderte Salvatore betont ruhig. „Nicht Kriegsstratege."

„Geld und Krieg gehören zusammen! Wie Brot und Messer. Ich befehle dir: Entwickle neue Verteidigungs- und

Angriffsideen. Wenn nicht –“ Enrico hob bedeutungsvoll eine silberne Zange – „dann wirst du Schatzkämmerer. Und du kümmerst dich künftig um die feuchten, muffigen Edelsteinhöhlen und überprüfst sie auf Einbruchssicherheit. Unterirdisch. Ohne Fenster. Nur du und ein Notizblock.“

Salvatore verzog das Gesicht. „Majestät… bitte nicht die Edelsteinhöhlen… dort wächst Moos auf der Tinte!“

Doch Enrico grinste schief, genehmigte sich einen weiteren Schluck seines kastanienbraunen Weines und ließ sich in seinen Sessel fallen. Nach einem Moment des Schweigens seufzte auch Salvatore und griff zum Kelch.

Ein schräger Frieden senkte sich über den Raum. Die Zinnsoldaten standen schief, der Sand war zertreten. In den Kaminen glomm nur noch schwaches Licht.

„Weißt du, Salvatore… vielleicht ist ja heute nicht mein Tag gewesen“, murmelte der König plötzlich schläfrig. „Vielleicht... morgen. Vielleicht... eine neue Übung... mit echten... Attrappen...“

„Mit mehr Budget...“, hauchte Salvatore, bereits halb eingeschlafen.

„Mit weniger Kobolden...“, murmelte Enrico.

Und dann versanken beide – König und Minister, Kriegsherr und Haushaltsverwalter – in einem weinseligen Halbschlaf, umgeben von Spielzeugarmeen, strategischer Frustration und einer Welt, die sie längst nicht mehr richtig verstanden.

Draußen, in der finsteren Nacht des Neumonds, tastete sich jedoch eine kleine Gruppe von drei Wanderern über die schlafenden Hänge der Dolomiten – bereit, all das zu verändern.

Kapitel 10

Die Nacht war still. Kein Laut, kein Vogelschrei, nicht einmal das ferne Rufen eines Fuchses durchbrach die Dämmerung, als Amanda, Eleonore und Roberto sich in Bewegung setzten. Über ihnen nur der schwarze Himmel, der sich wie ein samtener Vorhang über die Welt spannte. Lorena, die kleine Elfe, schwebte voran, kaum sichtbar – ein Hauch, ein zartes Schimmern, das bei jeder Landung winzige Lichtfunken über die Felsen tanzen ließ.

„Hier entlang", flüsterte sie, ihre Stimme kaum mehr als ein Lufthauch. „Der Weg ist gefährlich, aber heute Nacht ist er offen."

Der schmale Pfad schlängelte sich zunächst hinab in eine Schlucht, die sich wie ein aufgerissenes Maul durch die Landschaft zog. Kalter Wind stieg aus der Tiefe empor, und nasse Felsen glänzten im Mondlicht. Lorena flatterte voraus und streute eine Handvoll funkelnder Pollen, die sich wie eine zarte Spur über die rutschigen Steine legten.

„Tretet nur dort hin, wo das Leuchten bleibt“, warnte sie. Und so tasteten sich die drei vorsichtig durch das dunkle Gestein, Schritt für Schritt, bis der Boden sich endlich wieder hob.

Als sie sich aus der Enge der Schlucht befreit hatten, rauschte vor ihnen ein Wildbach, aufgewühlt vom Schmelzwasser des Gletschers. Das Wasser tobte und warf silberne Gischtkronen gegen die Steine.

„Da drüben ist ein Baumstamm, der führt über das Wasser“, sagte Lorena. „Doch Vorsicht – er ist glatt vom Tau.“

Mit einem schnellen Flug verschwand sie zwischen den Büschen und kehrte bald mit etwas Überraschendem zurück: Dornenranken, deren stachelige Blätter sanft leuchteten. „Bindet sie um eure

Schuhe. Die Dornen verhaken sich in der Rinde. Sie helfen euch, Halt zu finden."

Ein wenig skeptisch, aber vertrauend, banden Amanda, Eleonore und Roberto sich die Ranken um ihre Schuhe. Und tatsächlich: Die Dornen hielten, bissen sich in das Holz, und so schafften sie es über das tosende Wasser – zitternd, aber unversehrt.

Der Pfad führte weiter zu einer alten Hängebrücke, die über einen tiefen Abgrund gespannt war. Wind zerrte an den Seilen, das Holz ächzte bei jedem Schritt. Und an den Enden der Brücke – zwei schlafende Kobolde, zusammengesunken wie schlaffe Säcke, mit Orden an ihren Westen, die schlaff im Wind klimperten.

„Sie sind erschöpft von der Übung", raunte Lorena. „Der Wein ihrer Müdigkeit wirkt stärker als jede Wache."

Schweigend, mit angehaltenem Atem, überquerten die drei Abenteurer die Brücke. Das Knarren unter ihren Füßen klang in dieser Stille wie ein Donnerschlag – und doch blieben die Kobolde schlafend, die Mützen tief ins Gesicht gerutscht.

Nach einem weiteren steilen Anstieg gelangten sie zu einem kleinen Gletscher, dessen gläserne Zunge sich wie eine kalte Zikade über den Felsen gelegt hatte. Hier war der Wind schneidend, und selbst der Atem begann, sich in kleinen Kristallen an den Wimpern niederzulegen.

Die Dornenranken erwiesen sich erneut als Segen – sie hielten die Schuhe auf dem Eis wie Nägel im Felsen. Langsam, vorsichtig, wie über zerbrechliches Glas, bewegten sich Amanda, Eleonore und Roberto über den gefrorenen Pfad, bis der Gletscher hinter ihnen lag.

Schließlich erreichten sie eine Felswand, in die sich ein schmaler Pfad wand – nicht mehr als ein Klettersteig. Ihre Hände griffen nach kalten Griffen, Finger wurden taub, die Knie weich. Doch sie gaben nicht auf.

Und dann – plötzlich – öffnete sich der Himmel.

Sie standen auf einem Grat, wo der Wind frei spielte und die Sterne zum Greifen nah schienen. Das Firmament spannte sich über ihnen wie eine Kuppel aus Licht. Millionen von Sternen flackerten in ihrer ganzen Pracht, funkelten wie die Edelsteine in den Höhlen der Kobolde, und zwischen ihnen zog eine Sternschnuppe ihre Bahn – so schnell, dass selbst Lorena kurz innehielt und staunte.

Roberto lächelte still, seine Augen glänzten. „Dafür…“, sagte er leise, „… lohnen sich alle Mühen.“

Amanda und Eleonore nickten. Der Atem der Berge, der Duft von Eis, Moos und Abenteuer füllte ihre Lungen. Die Sterne über ihnen schienen zu singen, leise, kaum hörbar, aber deutlich genug, dass Roberto begann, eine neue Melodie zu summen. Eine, die von Hoffnung sprach. Von Aufbruch. Von der Nähe zur Wahrheit.

Lorena setzte sich auf seinen Arm, ihre winzigen Beine baumelten in der Luft. „Noch ein kleines Stück“, flüsterte sie. „Das Schloss ist nicht mehr fern.“

Und so zogen sie weiter, in eine Nacht, die wie ein Versprechen über ihnen stand.

Kapitel 11

Die letzten Schritte des Weges schienen leichter, als sie es hätten sein dürfen. Vielleicht lag es am Glanz der Sterne, vielleicht am Zauber der Hoffnung, der Amanda, Eleonore und Roberto umhüllte. Oder vielleicht war es Lorena, die in winzigen Kreisen über ihren Köpfen flog und leise Melodien summte, die Müdigkeit aus den Knochen zogen und Mut in die Herzen pflanzten.

Dann, wie aus dem Nichts, tat sich das Schloss auf.

Es erhob sich aus dem Felsen wie ein Wunder, ein Bauwerk, das mit keiner Festung der Welt vergleichbar war. Türme aus glitzerndem Dolomit reckten sich in den Himmel, ihre Spitzen von silbernen Wetterfahnen gekrönt. Der Hauptturm trug eine Kuppel aus tiefblauem Glas, das im Mondlicht schimmerte wie flüssiger Saphir. Filigrane Brücken aus durchscheinendem Stein verbanden die

Gebäude, und an vielen Stellen rankten sich leuchtende Pflanzen über die Fassaden – Erinnerungen an eine Zeit, in der Magie und Musik das Schloss regierten.

Amanda sog scharf die Luft ein. „Es sieht… lebendig aus. Als würde es warten."

„Oder atmen", murmelte Eleonore ehrfürchtig.

Roberto schwieg. Seine Augen glitzerten. Er legte die Hand auf seine Brust, wo unter seinem Hemd das nun getarnte Muttermal pochte. „Das ist der Ort", sagte er. „Ich fühle es."

Lorena schwebte neben ihm in der Luft, ihre Flügel zitterten vor Aufregung. „Ich habe ein Seitentor gefunden. Im östlichen Garten. Es trägt ein uraltes Ornament – ein Rankenmuster aus Stein, das auf eine Musikpforte hinweist. Ich glaube, es lässt sich mit einer bestimmten Melodie öffnen."

„Und der Eingang? Bewacht?“ fragte Eleonore.

Lorena nickte. „Ein einzelner Kobold. Er schläft tief und schnarcht wie ein Waldtroll. Aber… er ist sensibel. Ein falscher Ton – und er wird wach.“

Sie beratschlagten lange, flüsternd unter dem Schutz eines alten Felsvorsprungs. Schließlich fassten sie einen Entschluss.

„Ich werde allein gehen“, sagte Roberto entschlossen. „Ich habe die Melodie im Herzen. Ich spüre, dass sie von den Steinen kommt. Von den Tönen der Quarzhöhle, der Gletscher und dem Licht der Sterne. Ich kann es schaffen.“

„Und wir bleiben hier“, sagte Amanda fest. „Falls du in Gefahr kommst, holen wir Hilfe. Vielleicht sogar von den anderen – den friedlichen Kobolden. Oder… wer weiß, vielleicht von der Musik selbst.“

Eleonore wandte sich an Lorena. „Du wirst unsere Verbindung sein. Ein Flügelschlag zwischen innen und außen."

Die Elfe nickte stolz. „Ich bin schnell wie das Licht – und wenn ihr mich singen hört, dann wisst ihr: Ich bringe Nachricht."

Roberto trat leise den Hang hinunter, führte sich seine Flöte an die Lippen und spielte – sanft, zart, kaum hörbar. Die Töne flossen wie Nebel durch die Luft, woben sich in das Muster des Tores. Erst war nichts zu sehen – doch dann begannen die Rankenornamente zu vibrieren, wie feine Saiten. Ein leises *Klicken*. Die Pforte öffnete sich, langsam, lautlos.

Roberto trat gerade durch die Öffnung, als ein Schnaufen ertönte.

Der Kobold.

Er hatte sich gereckt, die Ohren zuckten. Offenbar war der Klang der Melodie wie ein Weckruf durch seinen Schlaf gezogen.

Der Kobold öffnete die Augen – blitzende, goldene Punkte im Halbdunkel – und erhob sich taumelnd.

Roberto hielt die Flöte weiter an die Lippen. Jetzt kam es darauf an. Noch ein Ton. Noch ein Hauch von Harmonie, der Schlaf und Traum zurückbringen konnte... oder alles verraten würde.

Von fern flackerte Lorenas Silhouette auf – bereit zum Flug, bereit zur Warnung.

Kapitel 12

Der Kobold lag zusammengerollt unter einem alten Farn, sein borstiger Bauch hob und senkte sich im ruhigen Takt des Schlafes. Ein goldener Orden blitzte auf seiner Brust, und neben ihm stand ein kleines, verbeultes Fässchen mit der Aufschrift „Koboldbräu – doppelt gebraut, dreifach gefährlich".

Dann: Musik.
Ein Ton, so fein, so durchsichtig, als würde sich eine Sternschnuppe in Schall verwandeln.
Ein Klang, wie ihn der Kobold noch nie gehört hatte – warm, glitzernd, seltsam traurig.

Seine Ohren zuckten.

Sein rechtes Augenlid hob sich träge. Dann das linke.
Sein Blick war verschwommen.
Er sah eine Gestalt, eine schlanke, bewegliche Silhouette, die sich durch das

geöffnete Seitentor bewegte, mit einer Flöte in der Hand. Langsames Schreiten, federnder Schritt.

Der Kobold blinzelte. Noch einmal. Dann hob er sich stöhnend auf die Ellbogen. „Uff... was... was bei allen Zaubermilben...?“ brummte er mit rauer Stimme. Er roch an sich selbst, dann an dem halb geleerten Fässchen neben sich. Ein Rülpser.

„Hab ich zu viel vom Bräu gehabt? Oder... träum ich?“

Er kniff sich in den Arm. Hart. „Autsch!“

Der Kobold starrte wieder hin – doch Roberto stand noch immer da, halb im Licht des offenen Seitentores, halb im Schatten des Mauerbogens. Die Flöte in seiner Hand schimmerte wie Mondglas.

„Ei der Tausendklang!“ murmelte der Kobold. „Das gibt’s doch nicht. Ein Mensch? Allein? Und... Musik?“

Er stand nun ganz auf, tappte vorsichtig ein paar Schritte nach vorn und schielte prüfend in Richtung der seltsamen Erscheinung.

„Das kann kein Feind sein... oder doch? Vielleicht ein Spion. Oder... ein Gaukler? Oder eine Halluzination mit Schuhen?“

Roberto hatte ihn längst bemerkt. Doch anstatt zu fliehen oder sich zu verstecken, spielte er weiter. Ganz langsam veränderte er die Melodie – sie wurde tiefer, weicher, wie ein Wiegenlied. Ein Ton, der durch die Erde kroch und sich in alten Erinnerungen vergrub.

Etwas rührte sich im Kobold. Ein Bild. Ein alter Traum. Ein Abend an einem Lagerfeuer, lange vor Enricos Kriegsübungen. Damals, als Musik noch erlaubt war. Damals, als Träume noch keine Gefahr bedeuteten.

Sein Gesicht entspannte sich.

Er murmelte: „Also, wenn das ein Trugbild ist… dann will ich gar nicht wissen, wie die Realität aussieht.“
Er gähnte. „Na schön. Dann bleib halt stehen, du wandelnder Klang.“
Und mit diesen Worten ließ er sich zurück auf seinen Schlafplatz plumpsen, drehte sich auf die Seite, brummelte noch „Träum was Hübsches… du seltsamer Mensch“ – und war eingeschlafen.

Roberto atmete leise auf. Er trat durch das Seitentor in den Schlossgarten.

Hinter ihm regte sich ein goldener Farn.

Und aus der Ferne hörte er Lorenas leises Kichern, kaum mehr als ein silberner Windhauch.

Kapitel 13

Roberto schlich leise durch den Schlossgarten, seine Füße kaum hörbar im Gras. Die Melodie, die ihm den Zutritt gewährt hatte, war noch wie ein Echo in den Mauern – ein feines Summen zwischen den Schatten. Ein paar Schritte weiter begann ein langer, kunstvoll gepflasterter Weg aus schwarzem Marmor. Roberto war beeindruckt, aber auch nervös. Irgendwo dort drinnen, inmitten von Prunk und Kälte, war Lacrima. Und jede falsche Bewegung konnte alles zerstören.

Doch dann geschah es. Ein Kribbeln. Erst in der Nase, dann hinter den Augen. Er hielt die Luft an. Vergeblich. „Haa... haa-tschi!"

Ein einziges, klares, unangepasstes Niesen zerriss die stille Nacht.

Hinter dem Farn zuckte der Kobold zusammen. „Gesundheit“, murmelte er schläfrig, drehte sich um – – doch dann hielt er inne. Seine Stirn legte sich in Falten. Er öffnete die Augen.

„Moment mal... Gesundheit? Wer niest denn hier?“
Er setzte sich auf, rieb sich die Schläfen. „An diesem Ort... niest niemand. Kein Laut ist hier normal. Niemand genießt. Niemand niest.“
Ein Gedanke schoss durch seinen benebelten Kopf:
Ein Eindringling.

Sein Name war Aperto, und auch wenn er keiner der schlausten Kobolde war, so war er besonders ehrgeizig – und heute war ein schlechter Tag gewesen: kein Orden. Kein Glanz an der Weste. Kein Lob. Aber wenn er jetzt jemanden aufspürte... ja, vielleicht war das seine Chance.

Er fuhr hoch, riss seine Eispistole aus dem Gürtel und schwang sie entschlossen vor sich.
Und da – da stand er.
Der Mensch.
Der mit der Flöte.

„Halt! Bleib stehen, Fremdling!“ rief Aperto mit aufgesetzter Strenge, die seine Unsicherheit verbergen sollte. Roberto hob ruhig die Hände. Er tat nichts, versuchte nicht einmal, sich zu verteidigen.

„Vielleicht ist das mein Weg zu Lacrima,“ dachte er. „Ich muss hinein, ich muss mehr erfahren.“

Der Kobold zögerte einen Moment, dann stieß er ihn grob an. „Vorwärts. Kein Ton. Kein Lied! Ich bring dich zum Oberhofmeister. Wenn du Glück hast, redet er mit dir. Wenn du Pech hast... verwandelt er dich in einen Briefbeschwerer.“

Roberto ließ sich führen.

Sie gingen durch Tore aus dunklem Obsidian, vorbei an Säulen, in denen sich schimmernde Geisterlichter verfingen. Der Palast war prächtig, das musste Roberto zugeben. Wände aus Kristallglas, Decken aus schimmerndem Metall, Bodenfliesen aus Lapislazuli. Aber alles wirkte wie ausgestopftes Leben – tot, gefroren, prunkvoll und doch kalt.

Sie durchquerten Galerien, in denen uralte Rüstungen standen, die niemand mehr trug. Gänge, in denen keine Fenster waren, nur Spiegel. Kein Echo. Kein Wind. Kein Lachen.

Schließlich blieben sie vor einem gewaltigen Tor stehen. Ein Schild aus Silber: „Donnerwetter – Oberhofmeister“.

Aperto stemmte sich mit dem ganzen Körper gegen die Tür.

Sie öffnete sich knarrend – und drinnen saß er.

Ein riesiger Kobold mit einem viel zu kleinen Zylinder auf dem Kopf, einer Robe, die bei jedem Atemzug knisterte, und einem Bart, der sich wie ein Gestrüpp aus Draht kringelte. Seine Augen funkelten wie geschliffene Rauchquarze.

„Wer stört meine Registraturen?" grollte Donnerwetter, ohne aufzusehen.

„Ein Mensch. Ich habe ihn beim Niesen ertappt", erklärte Aperto und salutierte krumm.
„Ein Mensch, der Melodien spielt", fügte er zögerlich hinzu. „Und... nicht hässlich klingt."

Der Oberhofmeister hob nun den Blick. „Ein Mensch mit Musik also... wie interessant. Bring ihn näher."

Roberto trat vor, senkte den Blick – und wartete.

Was würde Donnerwetter tun? Würde er ihn verhören? Würde er Enrico holen? Oder... war dies der Anfang von etwas noch Gefährlicherem?

Kapitel 14

Der Wind hatte nachgelassen. Die Nacht war still, doch Amanda und Eleonore spürten, dass hinter den glitzernden Mauern des Schlosses das Schicksal arbeitete.

Sie standen an einem Felsvorsprung oberhalb des Ostgartens, verborgen zwischen knorrigen Büschen und dunklen Schatten. Von hier aus konnte man das große, verwunschene Schloss gut überblicken. Seine spitzen Türme ragten wie Nadeln in den Himmel, in dessen Dunkelheit ein paar einsame Sterne flackerten. Kein Laut war zu hören – außer dem gelegentlichen Zirpen eines Nachtkäfers und dem dumpfen Klang ihrer eigenen Gedanken.

„Er ist wirklich drinnen“, murmelte Amanda, während sie nervös mit den Händen das Moos vom Felsen streifte. „Und es war mutig von ihm...“ sagte Eleonore leise. „Aber auch gefährlich.“

In genau diesem Moment tauchte ein winziges, schimmerndes Licht auf – so schnell, dass man es kaum mit dem Auge verfolgen konnte. Es zischte zwischen den Sträuchern hindurch, flitzte im Bogen über die Felsplatte, stoppte abrupt – und landete leise auf einem Ast.

Lorena.

„Ich habe alles gesehen", flüsterte die kleine Elfe mit melodischer Stimme und schüttelte ihre silbernen Flügel, die im Mondlicht glitzerten wie gefrorener Morgentau.
„Aperto – so heißt der Kobold – hat Roberto erwischt. Er hat geniest, und das hat alles verraten. Jetzt ist er im Schloss. Aperto hat ihn direkt zum Oberhofmeister gebracht."

Amanda und Eleonore blickten sich erschrocken an.
„Was macht der Oberhofmeister mit ihm?" fragte Amanda.

„Wird er ihn erkennen? Wird er wissen, wer er ist?“ Eleonores Stimme zitterte.

„Ich glaube, er wird ihn prüfen“, sagte Lorena. „Noch ist nichts verloren. Roberto hat sich gefasst gezeigt – klug. Sehr klug. Aber wir dürfen nicht untätig bleiben.“

Eine Weile herrschte Stille. Dann begann die Beratung.

Zuerst kam der naheliegende Gedanke: Hilfe holen.
Aber von wem? Die Dorfbewohner von San Lorenzo wussten nichts von der Magie hinter den Bergen. Die Kobolde außerhalb der Burgmauern wirkten unberechenbar – und der Sänger Roberto hatte selbst gesagt, dass viele sich nicht einmal sicher seien, ob Lacrima überhaupt noch lebte. Es war zu riskant, auf fremde Hilfe zu setzen.

„Wir bleiben hier“, entschied Amanda schließlich.
„Wir geben Roberto Rückendeckung – so

gut wir können."
„Und du, Lorena", sagte Eleonore, „du wirst unsere Augen und Ohren sein."

Die Elfe nickte und zeigte auf die Mauer. „Ich habe kleine Schießscharten entdeckt – winzige Öffnungen, zu schmal für Menschen, aber perfekt für mich. Ich kann mich hineinschleichen, fast überall. Keine Tür, kein Fenster ist nötig. Ich werde alles sehen und hören, was geschieht – und euch sofort berichten."

Amanda zog ihre Jacke fester um sich. Eleonore holte den kleinen Quarz aus ihrer Tasche, den Roberto ihnen einst aus der Koboldhöhle mitgebracht hatte. „Wir müssen ihm vertrauen. Und hoffen, dass er im Inneren des Schlosses nicht nur die richtige Melodie findet – sondern auch den richtigen Moment."

Lorena flatterte leise in den Himmel, verschmolz mit den Sternen.

Amanda und Eleonore setzten sich aneinander gelehnt auf den Felsen, die Blicke auf das leuchtende Schloss gerichtet.
Das Abenteuer war nicht vorbei. Es hatte gerade erst seinen gefährlichsten Teil erreicht.

Kapitel 15

Roberto stand aufrecht in der großen Marmorgalerie des Schlosses, deren glitzernde Wände kalt glänzten wie eine Eisschicht auf einem gefrorenen See. Der Kobold Aperto hatte ihn dorthin geführt, stolz wie ein General, der einen gefährlichen Feind gestellt hatte. Roberto hingegen hatte sich vorgenommen, klug, zurückhaltend und höflich zu sein. Immerhin befand er sich tief im Herzen des verwunschenen Schlosses – nur eine falsche Silbe, und alles konnte verloren sein.

Dann öffnete sich eine große, schwarze Doppeltür mit knarrendem Knacken. Aus dem Halbdunkel trat ein alter, breitschultriger Kobold mit schlohweißem Bart, verschränkten Armen und ausladendem Umhang. Seine Stirn war tief gefurcht, seine Augen mürrisch zusammengekniffen. Er bewegte sich in kleinen, steifen Schritten, und sein Gang war das eines Wesens, das sich der Wichtigkeit jedes seiner Schritte sehr bewusst war.

Der Oberhofmeister Donnerwetter.

„Setzen Sie sich!“, befahl er freundlich-unfreundlich und wies auf einen zu niedrigen Hocker vor seinem viel zu hohen Thronstuhl. Roberto setzte sich.

„Name!“, krächzte Donnerwetter.

„Roberto, Herr“, sagte der Sänger ruhig.

„Ah! Sehr schön – ein Roboter also! Fortschrittlich! Das freut mich.“
Roberto zögerte. „Nein, Roberto. Ich bin ein Sänger.“
„Aha, ein *Sänger-Roboter* – das erklärt die fremden Klänge!“
Roberto wollte etwas erwidern, aber ein kurzer Seitenblick von Aperto ließ ihn schweigen.

„Woher kommen Sie?“
„Aus San Lorenzo, tief unten im Tal.“

„San Lorenzo? Hm, das klingt nach einem Geheimorden. Sind Sie etwa einer dieser neuen stillen Spione, die sich mit Gesängen tarnen?“
„Ich bin Musiker.“
„Das dachte ich mir – *Mus-Krieger*. Sehr gefährlich, sehr gefährlich.“

Roberto senkte den Blick. Es hatte keinen Sinn, sich zu wehren. Der Oberhofmeister schien taub für alles, was unter einer gewissen Lautstärke gesagt wurde – und gleichzeitig hochbegabt darin, alles falsch zu verstehen. Trotzdem blieb Roberto freundlich.

„Was wollen Sie im Schloss?“
„Ich suche...“ – Roberto zögerte – „...Inspiration. Für Lieder. Ich sammle Klänge.“
Donnerwetter nickte begeistert. „Ah! Sie wollen *Informationen für Lieder über unsere Sicherheitsanlagen*! Natürlich, natürlich!“

Aperto stöhnte leise. Das lief aus seiner Sicht viel zu harmlos.

„Und was denken Sie über unseren ehrenwerten König Enriko?“ fragte der Oberhofmeister mit plötzlichem Ernst.

Roberto antwortete diplomatisch: „Er ist... außergewöhnlich. Sein Ruf reicht weit.“
„*Außerordentlich gefährlich*, meinen Sie! Richtig so. Das sagen Sie genau wie ich.“

Donnerwetter schien regelrecht aufzublühen – er liebte es, wenn man ihm zustimmte, auch wenn man das gar nicht tat. Während Roberto versuchte, durch vorsichtige Worte nicht weiter aufzufallen, wurde Aperto unruhig. Der große Moment war ihm zu langweilig. Kein Widerstand, kein Alarm, kein Drama. Kein Grund, stolz in der Ordenshalle zu erzählen, wie er mit einem einzigen Blick den Feind enttarnt hatte.

Er zog seine eisene Pfeife hervor – die nur für *besondere Situationen* gedacht war – und ließ sie ein einziges Mal erklingen.

Es war kein schriller Ton, sondern ein kalter, vibrierender Klang, der durch die Mauer kroch wie Frost durch eine Fensterritze.

Wenige Minuten später öffnete sich eine Seitentür. Ein düsteres Wesen trat ein: hager, mit eingefallenem Gesicht, einem schwarzen Mantel und kühlen, misstrauischen Augen.

Kobold Exterritorial. Der Außenminister. Und das Misstrauen in Person.

„Was gibt es?", fragte er mit nasaler Stimme, die sich anhörte, als wäre sie aus kaltem Stahl geschmiedet. „Ein mutmaßlicher Spion", sagte Aperto stolz. „Er war am Seitentor, hat eine Melodie gesungen, ist heimlich eingedrungen. Ich habe ihn gestellt."

Exterritorial warf Roberto einen Blick zu, der Eisblumen hätte gefrieren lassen. „Was war das für eine Melodie?“ „Nur ein Lied – ohne Absicht“, antwortete Roberto leise. „Aha. Genau das würden Sie sagen, wenn es eine verborgene Absicht hatte.“

Der Oberhofmeister mischte sich ein: „Er ist ein Sänger-Roboter-Spion, der für den Geheimorden aus San Lorenzo arbeitet. Möchte Inspiration über unsere Sicherheitsanlagen sammeln. Sehr höflich dabei.“
Exterritorial verzog das Gesicht. „Das ist genau das Gefährliche. Höfliche Leute sind die schlimmsten. Man rechnet nicht mit ihnen.“

Roberto schwieg. Jeder weitere Satz würde ihn nur tiefer in diese absurde Spirale bringen.

Donnerwetter klatschte plötzlich in die Hände. „Ich schlage vor, wir behalten ihn als Ehren-Gast. Für ein paar Tage. Der

König soll ihn anhören. Vielleicht ist er musikalisch nützlich.“ Exterritorial schnaubte. „Wenn er das Schloss verlässt, will ich es wissen.“ „Er verlässt es nicht“, sagte Aperto schnell. „Ich bleibe in seiner Nähe.“ Der Oberhofmeister nickte. „Sehr gut. Und jetzt, mein lieber Roboter, essen Sie etwas. Wir haben Quarz-Gemüse und dampfgepresste Gletscherwurzel im Angebot.“

Roberto verbeugte sich. Sein Herz klopfte. Er hatte es geschafft – irgendwie.

Doch er wusste: Das Spiel war noch lange nicht zu Ende. Und draußen warteten Amanda, Eleonore – und Lorena. Die wussten vielleicht bald mehr als alle Minister zusammen.

Kapitel 16

Die Nacht war sternenklar, der Himmel weit geöffnet wie ein Fenster zur Ewigkeit. Unterhalb des verwunschenen Schlosses hatten Amanda und Eleonore zwischen zwei Felsvorsprüngen Schutz gefunden. Ihre Rücken lehnten an moosbedecktem Gestein, während ihre Blicke unablässig zur Schlossmauer wanderten. Dort oben – irgendwo hinter den Türmen, Zinnen und vergitterten Fenstern – befand sich Roberto. Und sie wussten nicht, ob er noch frei atmete oder längst in einem der unheimlichen Säle gefangen war.

Die Luft war still. Selbst der Wind schien zu lauschen. Nur das gelegentliche Knarzen der alten Bäume und das ferne Tropfen eines tauenden Gletschers waren zu hören.

Dann: ein Flimmern – kaum sichtbar.

Ein feiner silberner Lichtstreifen zog sich durch die Luft, als würde ein Stern vom

Himmel fallen und doch plötzlich kehrt machen. Und da war sie – **Lorena**. Die kleine Elfe landete auf einem glatten Stein direkt vor Amanda und Eleonore. Ihr Atem ging schnell, ihre Flügel flackerten noch leicht nach.

„Ich bin zurück!", rief sie in ihrer sanften, klingenden Stimme, die dennoch wie ein ganzes Glockenspiel durch die Nacht schwebte.

„Was ist passiert? Wo ist Roberto?" – Eleonore beugte sich sofort zu ihr herunter.

Lorena setzte sich mit überkreuzten Beinen auf den Stein, faltete die Flügel zusammen und hob die Hände, als wollte sie den Strom ihrer Eindrücke ordnen.

„Er ist im Schloss. Und er lebt – keine Sorge. Er wurde von einem Wächter entdeckt, einem Kobold mit Namen Aperto, der offenbar sehr stolz auf sich ist und alles sofort melden wollte. Aber

Roberto hat klug gehandelt. Er hat sich ohne Widerstand mitnehmen lassen, hat höflich gesprochen und... nun ja, etwas verwirrt hat er die anderen auch."

„Wieso verwirrt?" Amanda runzelte die Stirn.

„Weil er mit dem Oberhofmeister gesprochen hat – Donnerwetter heißt der –, ein Kobold, der nur laute Töne hört und das meiste falsch versteht. Ich meine... sehr falsch. Er hält Roberto für einen geheimen Roboteragenten, der dem König beim Bau eines Abwehrsystems helfen will!"

Eleonore und Amanda sahen sich fassungslos an.

„Das heißt... er ist in Sicherheit?" „Noch. Denn der Außenminister war auch da. Ein sehr finsterer Typ. Exterritorial. Der misstraut allem und jedem. Vor allem Dingen, die leise sprechen oder freundlich lächeln."

„Oh je...“, murmelte Amanda.

„Trotzdem – und das ist die gute Nachricht – sie haben beschlossen, Roberto erst mal im Schloss zu behalten. Als Gast, sagen sie. Aber sie werden ihn nicht aus den Augen lassen. Er soll wohl dem König vorgestellt werden.“

„Und was ist mit dir, Lorena? Konntest du wirklich alles sehen?“

Die kleine Elfe nickte stolz. „Oh ja! Ich habe ein paar Schießscharten entdeckt – schmale Öffnungen, aber für mich wie breite Tore. Ich kann hinein und hinaus fliegen, wann immer es nötig ist. Und ich werde euch über alles berichten, was ich sehe und höre.“

Amanda lächelte dankbar. „Du bist unsere Verbindung zu ihm.“ „Genau. Und ich bin schnell genug, um zwischen den Wächtern hindurch zu flitzen, ohne dass es einer merkt. Ich werde aufpassen, versprochen!“

Ein Moment der Erleichterung lag in der Luft. Doch dann hob Eleonore den Blick zum Schloss.

„Was, wenn sie ihm etwas antun wollen?“ „Dann werde ich es sofort wissen. Und ich werde euch holen – oder...“ Lorena zögerte. „...andere Hilfe.“

„Welche Hilfe?“ fragte Amanda schnell. Doch Lorena legte einen Finger auf ihre winzigen Lippen. „Noch nicht. Es gibt Wesen, von denen sogar Enriko nichts weiß. Aber dafür muss ich erst etwas sicherstellen.“

Sie erhob sich, ließ ihre Flügel aufleuchten wie zarte Glasfäden im Mondlicht.

„Schlaft nicht. Seid wachsam. Ich melde mich, sobald es etwas Neues gibt. Ich bleibe ganz in der Nähe – ihr müsst nur leise meinen Namen flüstern, und ich höre euch.“

Mit einem kaum sichtbaren Schwung erhob sie sich wieder in die Luft und verschwand in einer glänzenden Kurve zwischen den Felsen.

Amanda und Eleonore blieben zurück. Die Nacht war dieselbe – still, wachsam, geheimnisvoll – aber nun wussten sie: Sie waren nicht allein.

Kapitel 17

Lorena flog höher als je zuvor. Über kunstvoll verzierte Dächer, vorbei an dunklen Schornsteinen, steinernen Wasserspeiern und stummen Türmen. Ihr Ziel war klar: Der höchste Turm des Schlosses, verborgen hinter verwittertem Efeu und einem Dach aus violettem Schiefer – der Ort, an dem seit Jahren das Herz der Hoffnung schlug.

Dort lebte sie.

Prinzessin Lacrima.

Der Wind strich kühl über die Zinnen, doch aus einem kleinen Rundfenster, das halb geöffnet war, drang ein Hauch von Musik – kaum hörbar für gewöhnliche Ohren, doch Lorena, die so feinfühlig wie der Morgentau war, erkannte sie sofort: Ein Lied aus alten Zeiten. Ein Lied von Heimat, Licht und Blüten.

Sie schlüpfte durch das Fenster, ihre Flügel wie Seide im Mondschein. Drinnen roch es nach getrocknetem Lavendel, altem Papier und frischer Erde. In der Mitte des runden Raumes stand ein Blumentopf aus Ton, in dem eine zarte Rosenpflanze wuchs. Ihre Blätter waren schwach, ihre Blüten kaum entfaltet – doch sie lebte. Und über ihr, die Hände schützend ausgestreckt, kniete eine Gestalt mit silberblondem Haar und einem langen Kleid aus moosgrünem Stoff: Prinzessin Lacrima.

Sie summte leise, ihr Blick voller Sanftmut auf die Rose gerichtet. Ihre Stimme war hell, klar – aber mit einem leisen Schimmer von Sehnsucht durchzogen.

Lorena schwebte näher und flüsterte: „Lacrima."

Die Prinzessin hielt inne. Ihre Augen weiteten sich.
Dann drehte sie sich langsam um – und für einen Moment war die Zeit wie eingefroren.

„Lorena?“ hauchte sie, als könne es nicht wahr sein.

Die kleine Elfe lächelte und landete auf dem Fenstersims. „Ich bin es. Und ich bin gekommen, um dir zu sagen: Du bist nicht mehr allein.“

Tränen schimmerten in Lacrimas Augen, doch diesmal waren sie aus Freude. „Deine Stimme... ich hätte sie unter tausenden erkannt. Ich habe so oft von dir geträumt. Ich habe gehofft, du findest mich wieder.“

Sie streckte ihre Hand aus, und Lorena ließ sich hineinsetzen, wie ein Lichtwesen auf einem Blatt.

„Ich habe dich vermisst“, flüsterte Lorena. „Und ich habe gespürt, dass du noch lebst – dass deine Hoffnung stärker war als alle Mauern dieses Schlosses.“

Lacrima schloss kurz die Augen, atmete tief durch. „Ich habe all die Jahre versucht, diese

Rose am Leben zu halten. Mit Liedern. Mit Liebe. Manchmal glaube ich, sie trägt meine Träume in ihren Blättern. Ich träume von einem Tal, in dem es keine Zäune gibt, in dem die Natur geschützt wird, aber Besucher sie staunend erleben dürfen. Ich will etwas Neues schaffen – eine Welt aus Frieden und Schönheit."

Lorena nickte andächtig. „Und du wirst es können, Lacrima. Denn... jemand ist gekommen. Jemand, der dich befreien will."

Die Prinzessin hielt den Atem an. „Wer...?"

„Ein Sänger. Ein Mensch. Sein Name ist Roberto. Er ist klug, sanft und mutig. Und er trägt Melodien in sich, wie ich sie seit Jahren nicht mehr gehört habe. Er ist bereits im Schloss. Er hat sich gefangen nehmen lassen, um näher zu dir zu kommen."

Lacrima schlug ihre Hände vors Gesicht – aber es war kein Weinen, es war Ergriffenheit.

„Ich... ich wusste es! Ich habe es gespürt, Lorena. Seit heute früh ist mein Herz aufgeregt. Ich konnte kaum still sitzen. Ich dachte zuerst, es sei eine Laune... aber es war eine Vorahnung. Etwas in mir hat mir gesagt, dass heute etwas geschieht. Etwas Großes. Etwas Wahres."

Lorena berührte mit ihren Fingern sanft die Wange der Prinzessin. „Und es wird geschehen. Nicht nur Roberto ist da. Zwei mutige Frauen begleiten ihn – Amanda und Eleonore. Sie warten außerhalb des Schlosses, bereit, zu helfen, wenn es nötig wird. Wir sind viele, Lacrima. Und bald wirst du frei sein."

Die Prinzessin hob den Blick zum Fenster, sah hinaus in die sternenklare Nacht. Ihre Rose zitterte leicht im Luftzug – aber sie wirkte nun lebendiger. Kraftvoller.

„Dann will ich singen“, sagte Lacrima. „Nicht mehr, um zu überleben. Sondern um den Weg zu ebnen. Für ihn. Für euch. Für uns alle.“

Und als Lorena wieder aufflog, um die anderen zu benachrichtigen, schwebte aus dem Turm ein neues Lied:
Ein Lied von Hoffnung.
Ein Lied der Rückkehr.
Ein Lied der Befreiung.

Kapitel 18

Die Sterne standen hoch über dem Gebirge. Die klare Luft zitterte vor Kälte, doch zwischen den Felsen, unweit des Schlosses, hatten Amanda und Eleonore sich in eine Mulde zurückgezogen, die von dichtem Wacholder geschützt war. Lorena hatte ihnen eine Decke aus großen, trockenen Blättern gebracht und ein paar aromatische Kräuter verteilt, deren Duft beruhigend wirkte.

Die beiden Frauen hatten sich eng aneinandergeschmiegt.
Kein Feuer, kein Licht – damit sie unentdeckt blieben. Doch ihre Gedanken waren laut.

„Ob Roberto wohl sicher ist?", flüsterte Amanda.

Eleonore, die ihre Hände um die Knie geschlungen hatte, antwortete leise: „Ich denke, ja. Er ist klug. Und er hat ein gutes Herz. Solche Menschen haben oft Verbündete, von denen man nichts ahnt."

„Und doch...", murmelte Amanda, „... ist es schwer, nicht in Angst zu versinken."

Eleonore legte den Arm um sie. „Angst hilft uns jetzt nicht. Hoffnung schon. Wenn wir an ihn glauben, geben wir ihm Kraft – auch wenn er es nicht weiß."

Ein leises, fast unsichtbares Lächeln huschte über Amandas Gesicht. „Dann hoffen wir gemeinsam."

Und so schlossen sie schließlich die Augen. Der Schlaf war flach und unruhig, unterbrochen von Bildern, in denen Türen sich öffneten, Lieder erklangen und dunkle Schatten durch Flure glitten. Doch trotz allem lag ein leiser Trost über ihrem Schlaflager – der Trost, nicht allein zu sein.

Im Schloss, in einem prunkvollen Raum voller Bücher, Karten und Zinnfiguren, lehnten König Enrico und sein Finanzminister Salvatore Demokrazio noch immer in ihren Sesseln. Zwischen ihnen ein halb geleertes Weinglas, auf dem Tisch verstreute Spielpläne und ein winziges goldumrahmtes Fernrohr, mit dem Enriko vorher seine Miniatur-Schlachten beobachtet hatte.

Die beiden Männer schnarchten leise, ihre Gesichter in den Kragen ihrer Uniformen gesunken.

Doch als die Uhr Mitternacht schlug, geschah das, worüber man im Schloss nie sprach:

Die kleinen Zinnsoldaten, die sorgfältig nach der letzten Übung aufgestellt worden waren, wurden lebendig.

Ein leises *Klacken* durchzog den Raum, als sich Helme bewegten und winzige Schwerter gezogen wurden. Die roten

Soldaten marschierten los, angeführt von einem winzigen Hauptmann mit starrem Blick. Die blauen Soldaten versuchten zu fliehen, wurden aber gestellt – und schon begann das nächtliche, stumme Schauspiel des ewigen Kampfes.

Sie kämpften auf Befehl der Geisterstunde, wie jede Nacht, unbemerkt von den Schlafenden. Ein trauriges Ritual. Ein Sinnbild für das Leben am Hof Enrikos: Kampf, ohne Sinn – Bewegung, ohne Herz.

Als die Turmuhr *eins* schlug, erstarrten alle Figuren wie auf ein geheimes Kommando. Sie fielen zurück in ihre Positionen – leblos, blechern, kalt.

Und der König murmelte im Halbschlaf: „Die Kavallerie... zu spät... wie immer...

Im Nordflügel des Schlosses hatte der Kobold Aperto seinen Moment der Erfüllung erreicht.

Er hatte Roberto, seinen „Gefangenen“, durch drei Gänge, zwei Treppen und eine schwere Tür in ein Turmzimmer gebracht. Kein Kerker – aber ein schlichtes, fast kahles Gemach mit einem kleinen Fenster, durch das man den Himmel sehen konnte. Roberto hatte sich ruhig verhalten, ja sogar höflich bedankt. Das verwirrte Aperto ein wenig. Aber nicht so sehr wie die Tatsache, dass der Mensch gar nicht versuchte zu fliehen.

Aperto setzte sich auf einen Hocker vor der Tür, den Schlüssel in der Faust. Er trug seine Uniform ordentlich, hatte sich das Haar mit Wasser glattgestrichen – und war fest überzeugt, morgen würde man ihn mit Orden überschütten. Vielleicht sogar mit einer Medaille für besondere Umsicht. Vielleicht würde er bald nicht mehr in der windigen Dachkammer wohnen müssen, sondern ein Zimmer bekommen – mit goldenem Spiegel und Vorhängen!

In seinem Tagtraum begann er bereits, Wände mit Glitzer zu tapezieren. Er stellte sich eine Truhe voller Pralinen vor und ein Schild an der Tür, auf dem stand:

„Aperto – Ehrenwächter des Königs."

Sein Blick wurde glasig, seine Lider schwer. Der Schlüssel glitt langsam aus seiner Hand. Und als der Turm kurz darauf von tiefer Stille erfüllt war, schlief auch Aperto ein – leise schnarchend, mit einem schiefen Lächeln, mitten in seinem goldenen Traum.

*

So lag das Schloss in tiefer Nacht. Der Wind strich leise durch die Türmchen, das Mondlicht wanderte über die Mauern. Alles schien wie erstarrt – ein Ort voller Geheimnisse, voller Hoffnung, voller wartender Herzen.

Und irgendwo, hinter all dem, bereitete sich das Schicksal auf den nächsten Morgen vor.

Kapitel 19

Während das Schloss in tiefem Schlaf lag, öffnete sich ein winziges Schießschartenloch im Ostturm – kaum sichtbar im Mauerwerk verborgen. Lorena, klein wie ein Tautropfen, schlüpfte mit einem zarten Flügelschlag hindurch. Leicht wie eine Feder landete sie im Inneren eines langen Flures, der von Schatten und alten Teppichen durchzogen war.

Sie wusste, dass sie leise sein musste, denn in einem Schloss, das von Zauber durchdrungen ist, horchen die Mauern – und manchmal sprechen sie auch.

Plötzlich… ein leises *Schnurren*.

Lorena drehte sich blitzschnell um.

Auf einem Wandvorsprung saß eine elegante grauweiße Katze, mit einem seidigen Fell und Augen, die im Dunkeln funkelten wie geschliffene Smaragde. Als sie Lorena betrachtete, wurden ihre

Pupillen groß – nicht vor Überraschung, sondern vor Wiedererkennen.

Lorena flog näher, setzte sich auf die Rückenlehne eines Lehnstuhls. „Lucia?“, flüsterte sie.

Die Katze blinzelte – und dann nickte sie langsam.

Ein warmer, leiser Laut kam aus ihrer Kehle.
Es war kein Miauen, sondern beinahe ein Kichern.

„Ich wusste, du würdest mich erkennen“, schnurrte sie.
Ihre Stimme war nicht menschlich – und doch nicht ganz tierisch.

„Du warst einst die Hofdame der Prinzessin Lacrima...“, sagte Lorena leise.

Lucia seufzte. „War ich. Bis der König, in seiner Laune, entschied, dass jede Hofdame, die sein Schloss verlassen will, keine echte sei. Und so verwandelte er mich. Seither jage ich Mäuse und…“ – sie verdrehte die Augen – „… entzünde das Herdfeuer in der Küche mit meinen glühenden Blicken.“

„Weil deine Augen Funken sprühen“, murmelte Lorena nachdenklich.

„Morgens… jeden Morgen…“, sagte Lucia trocken. „Der Koch klatscht in die Hände, ich setze mich auf den Herd, schaue auf das Holz – und *zisch* – Feuer.“

Lorena unterdrückte ein Lachen. „Ich habe dich vermisst.“

„Und ich dich. Aber sag, was tust du hier im Herzen der Gefahr?“

Lorenas Stimme wurde ernst. „Ich bin nicht allein. Roberto ist hier, Amanda und Eleonore warten draußen. Die Prinzessin… sie wird bald frei sein.“

Lucias Ohren zuckten. Ein Hoffnungsschimmer trat in ihre Katzenaugen.

„Dann komm“, sagte sie bestimmt. „Ich zeige dir, was du wissen musst.“

*

Lucia sprang von ihrem Vorsprung, schob eine lose Wandplatte beiseite und führte Lorena in einen geheimen Gang. „Der König verbringt den Großteil des Tages nicht auf dem Thron, sondern in seinen Laboren. Komm.“

Sie schlichen sich durch dunkle Gänge, vorbei an Porträts mit wandernden Augen, durch Türen, die mit Rätseln verschlossen waren – Lucia kannte die Antworten.

Dann standen sie vor einer schweren Tür aus schwarzem Holz. Lucia sprang auf die Klinke – sie öffnete sich lautlos.

Der Raum, den Lorena betrat, war riesig.

An den Wänden standen riesige Fernrohre, glänzende Metallröhren, die durch Fenster in den Himmel ragten. Dazwischen: Tonmaschinen, Spulen mit aufgedruckten Wellenlinien, kristallene Hörmuscheln, Lautsprecher, die wie Schneckenhäuser geformt waren. Überall blinkten Lämpchen, bewegten sich Zeiger und surrten Geräte.

„Dies“, sagte Lucia stolz, „ist das musikalisch-astronomische Labor des Königs.“

Lorena war sprachlos.

„Er misst… den Himmel?“, flüsterte sie.

Lucia nickte. „Jeder Planet hat ein Lied, sagt er. Die Venus flüstert wie eine Harfe, der Saturn klagt wie ein Cello. Und vom Pluto…“, sie schüttelte sich, „… empfängt er einen eiskalten Marsch. Den hat er bereits den Kobolden auf Tonkristallen übergeben – zur Inspiration bei ihren Übungen.“

„Und der König…?“ Lorena deutete auf einen gepolsterten Sessel.

„Sitzt dort. Stundenlang. Mit Kopfhörern auf den Ohren, hört er das Universum. Und denkt darüber nach, wie er es beherrschen könnte."

„Und was macht er mit den Melodien?"

Lucia grinste. „Er schreibt sie in ein dickes Buch. *‚Königliche Kosmische Kompositionen'*, nennt er es. Ich glaube, er will eines Tages einen Konzertsaal im All bauen."

Lorena unterdrückte ein Staunen. Was für ein Größenwahn – und welch gefährliche Träumerei.

„Wenn wir die Prinzessin retten wollen…", begann sie.

„… dann brauchen wir Wissen. Und Mut", ergänzte Lucia. „Und vielleicht… Musik. Denn nichts liebt dieser König mehr – und nichts fürchtet er mehr, als einen Klang, den er nicht selbst erschaffen hat."

Lorena nickte. Ihr Herz pochte.

Sie wusste nun: Dieses Schloss war voller Geheimnisse – aber auch voller Möglichkeiten.
Und sie war nicht mehr allein.

Kapitel 20

Das Turmzimmer, in das Roberto gebracht wurde, lag hoch oben über dem Hauptflügel des Schlosses. Die Wendeltreppe, die Aperto mit ihm hinaufgestiegen war, knarzte bei jedem Schritt. Der kleine Wächter, stolz wie ein General, hatte sich während des gesamten Aufstiegs nicht einmal umgedreht – doch kurz bevor sie das Zimmer erreichten, brummte er: „Nicht weglaufen, verstanden? Ich will morgen meinen Orden."

Roberto hatte nur genickt. Widerstand war nicht klug. Noch nicht.

Als sich die schwere Holztür mit einem metallischen *Klick* schloss und Aperto mit dem Schlüssel an der Außenseite verschwand, stand Roberto endlich allein in dem kargen Raum. Es war nicht kalt – überraschenderweise –, aber dennoch durchzogen von einer fremden, fast unheimlichen Stille.

Der Raum war rund. In der Mitte stand ein einfaches Bett aus Holz, daneben ein kleiner Tisch mit einem Krug Wasser und einem Brotlaib. Ein schmales Fenster gewährte den Blick auf die schwarzen Silhouetten der Berge – und über ihnen den atemberaubenden Sternenhimmel.

Roberto trat ans Fenster.

Tausende von Sternen funkelten am Firmament, wie Noten auf einem himmlischen Notenblatt. Er dachte an Amanda, an Eleonore… an Lacrima, deren Bild aus seiner Erinnerung immer klarer wurde. Hatte er sie sich eingebildet? Oder war diese Verbindung, diese Stimme aus der Höhle… echt gewesen?

Er legte sich aufs Bett, doch der Schlaf wollte sich nicht einstellen.

*

Die Stunden vergingen in seltsamer Dehnung. Mal döste Roberto, mal lauschte er dem Wind, der durch die engen Fensteröffnungen strich. Manchmal meinte er, entfernte Musik zu hören – leise, als würde irgendwo im Schloss jemand auf Gläsern spielen, zart, wie aus einer anderen Welt.

In einem Moment zwischen Wachen und Schlafen glaubte er, die Stimme der Prinzessin zu hören. Nicht laut – mehr ein Gefühl in seinem Inneren:

„Du bist hier… Ich spüre dich…“

Er drehte sich zur Wand. Der Stein war glatt, kühl – doch plötzlich sah er vor seinem inneren Auge Bilder: eine Rose in einem Turm, eine Melodie, die durch Gitter fliegt, zarte Hände, die nach Licht greifen.

Er wusste nicht, ob er träumte oder wachte.

Vielleicht war beides gleich.

*

Kurz vor der Morgendämmerung überkam ihn doch der Schlaf. Ein tiefer, aber unruhiger Schlaf – durchsetzt mit Fragmenten von Melodien, seltsamen Begegnungen, flackernden Lichtern.

Er träumte von kleinen Soldaten, die nachts über die Gänge marschierten, von einer Katze mit glühenden Augen, die ihm mit dem Schwanz ein Herz in den Staub malte, und von Aperto, der sich in ein Standbild aus Gold verwandelte, das glänzte – aber keine Stimme hatte.

Als erste Lichtstrahlen in das kleine Turmfenster fielen, öffnete Roberto die Augen. Seine Kehle war trocken. Draußen hörte er Schritte, dann ein kurzes *Schnarchen*. Es war Aperto, der vor der Tür auf einem Hocker zusammengesunken war, mit dem Schlüssel in der Hand – eingeschlafen im Stehen.

Roberto setzte sich auf das Bett und atmete tief durch.

Heute muss etwas geschehen, dachte er. *Heute beginnt das, wofür ich gekommen bin.*

Er wusste noch nicht wie. Aber er spürte: Er war nicht allein. Und irgendwo da draußen – warteten Hoffnung, Mut und vielleicht… Liebe.

Kapitel 21

Der neue Tag brach an über dem verwunschenen Schloss. Erste Sonnenstrahlen krochen über die Zinnen, tauchten die Türme in blasses Gold, ließen das gläserne Dach der Kuppelhalle wie flüssiges Silber glänzen. Tief im Innern des Schlosses regte sich das Leben langsam – Diener schlurften durch die Gänge, der Duft von heißem Brot und starkem Kaffee zog durch die Lüftungsschächte.

In seinem übergroßen Schlafsessel im Schreibzimmer erwachte König Enrico. Seine Krone war ihm in der Nacht auf die Brust gerutscht, eine Spielzeugkanone lag neben seinem Ohr, und auf seinem Schoß schlief noch ein Zinnsoldat mit gesenktem Kopf. Er blinzelte, sah sich um – und erinnerte sich: das Planspiel. Die Geisterstunde. Und dann… der Wein.

Mit einer schwungvollen Bewegung setzte er sich auf und rief:

„Donnerwetter! Wo steckt mein Oberhofmeister? Ich brauche Neuigkeiten. Und Kaffee!“

Noch ehe der Befehl ganz verklungen war, betrat der Oberhofmeister Donnerwetter mit gesenktem Blick und hochgezogenen Schultern den Raum. Hinter ihm schlich ein zerknitterter Diener mit einem dampfenden Tablett.

„Majestät“, begann Donnerwetter feierlich, während er sich an einem Ohrläppchen zupfte, „es gibt... eine Besonderheit.“

Der König, nun hellwach, griff nach seiner Tasse und blickte neugierig über den Rand.

„Was für eine Besonderheit? Ist das Brot heute besonders knusprig? Hat der Kater wieder auf dem Dach musiziert? Oder ist ein Spion eingeflogen?“

„Fast, Majestät“, sagte der Oberhofmeister und beugte sich leicht

vor.
„Ein junger Mann wurde gestern Nacht am Seitentor aufgegriffen. Von unserem zuverlässigen Aperto.“

„Ein Mann? Hier? Was wollte er?“

„Er… nun ja… er *sang*. Eine Melodie, Majestät. Und sie öffnete das Tor.“

Enrico hielt inne. Ein Funkeln trat in seine Augen.

„Ein Sänger…?“

Er stand auf, trat ans Fenster und verschränkte die Hände hinter dem Rücken.

„Ein Sänger… der Tore öffnet? Das klingt… *nützlich*. Und selten. Sehr selten.“

Donnerwetter nickte eifrig – auch wenn er nicht alles verstanden hatte, was Roberto gestern erzählt hatte. Viele Worte waren ihm zu leise gewesen. Doch dies war klar:

„Er scheint friedlich. Höflich. Vielleicht etwas... verwirrt. Aber gewiss kein Soldat."

Enriko lächelte.

„Umso besser! Soldaten habe ich genug. Aber Künstler... Magier der Klänge... davon gibt es zu wenige!"

Er drehte sich um, sein Blick war glanzvoll.

„Ich werde ihn behalten! Wir richten ihm ein Studio ein. Ein Musikzimmer mit Instrumenten. Vielleicht komponiert er mir ein neues Marschlied! Oder ein Empfangsstück für Botschafter. Oder – oho! – eine Klangwaffe!"

Der Oberhofmeister schluckte.

„Majestät... aber wenn er nicht bleiben möchte?"

Enrico winkte ab.

„Dann wird er eben... überredet. Oder überzeugt. Oder gebunden. Auf elegante Weise, versteht sich."

Donnerwetter verbeugte sich, während sein Ohrläppchen leicht zuckte.

„Natürlich, Majestät. Ich werde alles vorbereiten lassen."

*

Während Enriko sich wieder seinem Frühstück zuwandte und begann, Notizen für eine künstlerische Nutzung Robertos zu skizzieren – *„Sängerische Spionage? Hymne zur Machtdemonstration?"* –, verließ der Oberhofmeister mit einem nachdenklichen Blick den Raum.

Er war ein alter Kobold mit viel Erfahrung. Und er spürte:

Dieser junge Mann könnte mehr mit sich bringen als nur Gesang.

Vielleicht hatte er Träume. Vielleicht hatte er einen Auftrag. Vielleicht – und das wäre gefährlich – hatte er ein Herz, das nicht zu binden war.

Kapitel 22

Die ersten Sonnenstrahlen hatten sich bereits über die Gipfel gelegt, als Lorena leicht wie ein Windhauch aus einem der Schießscharten im verwunschenen Schloss schlüpfte und durch die klare Morgenluft zu Amanda und Eleonore hinunterflog. Die beiden Frauen, noch etwas schläfrig, hatten sich in der geschützten Nische einer Felswand zusammengerollt. Ihre Gesichter wirkten müde, doch der Glanz der Hoffnung war in ihren Augen nicht verloschen.

„Lorena!“ rief Amanda leise, als sie das Schimmern der Elfenflügel bemerkte. „Du bist zurück! Sag – wie geht es Roberto? Was hast du herausgefunden?“

Lorena landete sanft auf einem flachen Stein und begann sofort zu berichten – von der nächtlichen Stille im Schloss, von der lebendig gewordenen Spielzeugarmee, vom schlafenden Aperto mit dem Schlüssel in der Hand. Dann erzählte sie von ihrer Begegnung mit der Schlosskatze Lucia, die in Wahrheit die verzauberte Hofdame der Prinzessin war. Und sie berichtete vom verborgenen Labor des Königs, von den Fernrohren, den Klangmaschinen und den Liedern der Planeten.

Amanda und Eleonore lauschten gebannt, doch als Lorena schließlich vom Gespräch des Königs mit dem Oberhofmeister erzählte, wurde es ganz still. Die Elfe schilderte mit eindringlicher Stimme, wie der König begeistert von Roberto sprach, wie er ihn behalten, ja sogar *für immer* im Schloss behalten wollte – als Sänger, Forscher und Werkzeug für seine eigenen Machtpläne.

Eleonore blickte Amanda an, und Amanda schüttelte langsam den Kopf.

„Das können wir nicht zulassen. Roberto gehört nicht in einen Käfig – nicht einmal einen goldenen."

„Er ist freiwillig ins Schloss gegangen, um zu helfen," sagte Eleonore nachdenklich. „Jetzt ist es an uns, ihm beizustehen. Wir müssen hinein."

Lorena sah sie an, ihre Flügel vibrierten leicht.

„Aber wie? Der König ist misstrauisch. Fremde lässt er kaum hinein. Und wenn, dann nur unter strengster Kontrolle."

Da hellte sich Amandas Blick auf.

„Dann gehen wir nicht als Fremde hinein. Sondern... als Köchinnen."

„Köchinnen?" fragte Lorena und legte den Kopf schräg.

„Ja", sagte Amanda. „Wir behaupten, dass wir besondere Speisen und Getränke zubereiten können. Solche, die auf Laune, Kraft und sogar Kampfeslust wirken. Denk nur – ein Getränk, das Kobolde aggressiv macht. Oder eines, das sie einschlafen lässt."

Eleonore nickte begeistert.

„Oder ein Pudding, der kreative Gedanken weckt. Ein Brot, das Mut verleiht. Eine Suppe, die sogar schlechte Laune verscheucht! Wenn wir das überzeugend verkaufen, wird der König uns aufnehmen."

Lorena schmunzelte.

„Und während ihr in der Küche seid, kann ich weiterhin fliegen, hören, beobachten – und Nachrichten zwischen euch und Roberto übermitteln."

„Genau", sagte Amanda entschlossen. „Wir gehen hinein. Für Roberto. Für Lacrima. Und für dieses Land."

Eleonore atmete tief durch.

„Und vielleicht zaubern wir dem König sogar einen Tropfen Güte ins Herz… wer weiß."

*

Die drei blickten zum Schloss, das im Morgenlicht beinahe friedlich wirkte – doch sie wussten, dass darin dunkle Pläne geschmiedet wurden. Noch an diesem Tag wollten Amanda und Eleonore ihre Rollen als königliche Küchenzauberinnen antreten.

Der nächste Schritt ihrer abenteuerlichen Rettungsmission hatte begonnen.

Kapitel 23

Ein leiser Wind wehte über das gepflasterte Vorfeld des Schlosses, als Amanda und Eleonore zum Seitentor traten, in feine Tücher gehüllt, die sie wie reisende Kräuterfrauen aussehen ließen. An ihrer Seite ging Speranzo, ein sanftmütiger Kobold mit freundlichen Augen, in denen ein ständiges Glitzern lag, als würde er immer an ein schönes Lied denken.

„Wenn ihr Glück habt, ist der Oberhofmeister heute in guter Laune“, flüsterte Speranzo, während sie durch die Nebengänge des Schlosses schritten. „Oder besser gesagt – in *weniger schlechter* Laune.“

Die Gänge wirkten kühl, aus den Wänden drang ein leises Summen von Röhren und Geräten, doch je weiter sie kamen, desto wärmer wurde es. Speranzo führte die Frauen in ein prächtiges Vorzimmer mit zu schweren Möbeln und goldenen

Vorhängen, in dessen Mitte ein riesiger Schreibtisch stand.

Dahinter thronte Donnerwetter, der Oberhofmeister – ein Kobold mit wirrer Perücke, auf dem einen Ohr ein riesiges Hörrohr, das andere tief in einem Pelzkragen verborgen. Er blickte auf, als die Gruppe eintrat.

„WER DA?“ donnerte er, obwohl alle stillstanden.
Speranzo trat höflich vor. „Zwei Bewerberinnen, Herr Oberhofmeister. Wegen einer Stellung in der Küche.“
„Eine Bestellung in der Küche? Wer will was bestellen?“
„Nein, nein – BEWERBERINNEN! Für die Küche!“

Donnerwetter schob sich ein zweites Hörrohr ins Ohr und deutete Amanda und Eleonore, näherzutreten.
„So, was könnt ihr?“ fragte er mit einer

Stimme, als würde er eine Truppe anschreien.

Amanda versuchte es sanft. „Wir können Speisen und Getränke zubereiten, die sich auf das Gemüt auswirken. Auf Stimmung, Kraft, ja sogar Kreativität."
Der Oberhofmeister nickte bedächtig – allerdings, weil er verstand: „Ihr könnt übermutige Kobolde fangen? Wunderbar, ganz im Sinne des Königs!"

„Nein", rief Eleonore rasch, „wir KOCHEN! Getränke! Speisen!"
„Ihr sprecht mit Geistern? Ja, ja – das hilft dem König bei seinen Planetengesprächen!"

Speranzo unterdrückte ein Kichern. Amanda versuchte es erneut:

„Wir bereiten Elixiere zu – inspirierende, beruhigende, stärkende, und manchmal auch... gefährliche."

Nun wurde Donnerwetters Blick schärfer. „Ah! Ihr seid Alchimistinnen. Das ist natürlich was ganz anderes! Das gefällt mir. Der König will Krieger mit Gefühl, nicht mit Verstand – das habt ihr doch gesagt, nicht wahr?“
„Ganz genau“, sagte Eleonore vorsichtig. „Mit Gefühl... und Geschmack.“

Donnerwetter winkte heftig mit einem goldbestickten Tuch. „Ausgezeichnet! Der König verlangt nach *Gourmet-Strategien*! Ich wusste es, ich wusste, meine Leitung ist stark. Ich habe eine Nase für Talente. Und wenn ihr das liefert, was ihr versprecht – dann, ja dann...“
Er schob das Hörrohr beiseite und raunte sich selbst zu:

„...wird der König mir endlich die gläserne Glocke verleihen, die nur die besten Oberhofmeister erhalten!“

Während er weiterredete und Pläne schmiedete, schlich sich Speranzo zur

Seite und lauschte, mit leicht geröteten Wangen. Etwas an diesen Frauen rührte ihn. Vielleicht ihre Ernsthaftigkeit. Vielleicht die Wärme in ihren Stimmen. Vielleicht, dass sie von Speisen mit Musik sprachen.

„Wenn die Musik wieder in diese Hallen zurückkäme... vielleicht könnte ich dann..."

Seine Gedanken schweiften zum Kellergewölbe, wo das verstaubte Klavier stand, das er heimlich besuchte, wenn niemand hinsah. Speranzo war kein Krieger. Er war ein Träumer, der täglich über den König grübelte. Über diese widersprüchliche Gestalt, die Gewalt ausübte – aber dabei immer tiefer in die Musik des Universums eintauchte. Was wollte dieser Enrico wirklich?

Vielleicht... konnte es wirklich anders werden.

Donnerwetter hatte mittlerweile einen Stapel Formulare hervorgeholt und wedelte damit über seinem Kopf. „EINSTELLUNGSBESCHEID!“ rief er. „Sofort zur Küche! ZUTRITT ZUR BURGKANTINE FREI! Möge eure Kochkunst die Moral anheben – oder senken, ganz nach Bedarf!“

Amanda und Eleonore verbeugten sich höflich. Speranzo, der sie zur Tür begleitete, flüsterte: „Wenn ihr Hilfe braucht… sagt es mir. Ich will, dass sich hier etwas ändert. Und vielleicht… ist eure Ankunft der Anfang.“

Und während sie die Gänge der Burg betraten, öffnete sich ein winziges Fenster in den Gedanken eines einzelnen Kobolds.

Kapitel 24

Roberto war früh erwacht – früher als er wollte. Die Kälte des Turmzimmers hatte sich durch jede Faser seines Körpers gezogen, trotz der dicken Decke aus Koboldfilz. Doch er hatte nicht nur gefroren – er hatte nachgedacht. Über die Prinzessin. Über Amanda und Eleonore. Über Lorena. Und über das seltsame Schloss mit seinen dunklen Gängen und hellhörigen Wänden.

Kurz nach Sonnenaufgang erschien Speranzo mit einem warmen Getränk und einem freundlichen Lächeln. „Seid Ihr bereit, dem König zu begegnen?" „So bereit wie ein Sänger es sein kann", antwortete Roberto, „wenn er nicht weiß, ob man ihm Applaus oder Ketten bringt."

Speranzo grinste. „Der König wünscht ein Gespräch. Ich führe Euch."

Sie durchquerten lange, marmorne Gänge, vorbei an riesigen Fenstern mit gefrorenen Scheiben. Schließlich betraten sie einen hohen Saal mit einem fast unsichtbaren König auf einem Thron aus Kristallglas. Zu beiden Seiten standen Geräte – seltsame Instrumente, die leise vor sich hin summten. Vor dem König saß ein winziger Kobold mit großer Brille und krummer Feder – der Hofschreiber Tintentus.

„Aaaah! Da ist er also!“ rief der König, als Roberto sich verbeugte. „Der Mann mit der Stimme, von der man spricht.“

„Ich danke für die Ehre, Majestät“, sagte Roberto höflich.

„Setzt Euch! Tintentus, seid bereit! Ich will alles wissen. Dieser Sänger könnte ein Schatz sein – oder ein Spion.“

Tintentus nickte und tauchte die Feder in ein Tintenglas. „Also, Roberto“, begann der König, „habt Ihr ein gutes Gehör?“

„Ich würde sagen: ja. Ich kann Harmonien unterscheiden und Stimmen aus großer Entfernung erkennen.“
Tintentus notierte:

„Subjekt hört Stimmen aus dem Jenseits und lebt in Harmonien.“

„Könnt Ihr komponieren?“
„Ja, sehr gerne. Am liebsten aus dem Moment heraus, improvisierend.“

„Subjekt liebt Improvisation. Möglicherweise unkontrollierbar.“

„Welche Instrumente spielt Ihr?“
„Klavier. Gitarre. Und ich singe mit der Natur, wenn sie mir erlaubt.“

„Verdächtige Nähe zur Natur. Spielt Bäume.“

Der König runzelte die Stirn. „Habt Ihr magische Fähigkeiten?“
Roberto überlegte einen Moment. „Musik ist Magie, Majestät. Manchmal

bringt ein Lied Licht in die Finsternis.“ Tintentus stöhnte.

„Subjekt spricht in Rätseln. Unklare Angaben zu Lichtquellen.“

Der König lehnte sich zurück. „Ihr habt einen poetischen Geist, das ist selten in diesen kalten Hallen.“

Speranzo, der bisher stumm dabeigestanden hatte, warf einen Blick zu Roberto, als wolle er ihm stumm mitteilen: *Du machst das gut.*

„Ich habe eine Aufgabe für Euch“, sagte Enrico schließlich. „Eine große. Eine Aufgabe, die viel Mut, Klugheit – und Gehör verlangt.“
„Ich höre zu, Majestät.“

Der König lächelte dünn. „Noch nicht. Ich lade Euch ein, *zuzuhören* – bis ihr hört, was andere nicht hören können. Und wenn Ihr Erfolg habt, dann...“

Er breitete die Arme aus. „...werde ich Euch reich belohnen. Mit einem Geschenk, das Euch unvergesslich machen wird.“

Robertos Herz schlug schneller. „Und diese Aufgabe... wo beginnt sie?“ „Im Schloss“, sagte Enrico nur. „Sie ist bereits im Gang.“

Tintentus war unterdessen völlig verwirrt. „Majestät, darf ich um eine kurze Pause bitten? Ich kann die letzten drei Sätze nicht mehr auseinanderhalten.“

„Dann schreib einfach: Der König vertraut dem Sänger eine Prüfung an.“ „Ich habe ‚Vertrauensbruch durch Sänger‘ notiert.“
„Dann... streich das!“ rief der König.

Speranzo konnte sich ein leises Lachen nicht verkneifen. Als Roberto schließlich wieder aufstand und sich verbeugte, begegneten sich ihre Blicke erneut.

Und obwohl der Raum voller frostiger Maschinen war, schien es einen Moment lang so, als wäre Musik in der Luft.

Kapitel 25

Die Tür zur Schlossküche öffnete sich mit einem leichten Quietschen, und sofort strömte wunderbarer Duft nach frischem Brot, süßem Zimt und gebratenen Kräutern Amanda und Eleonore entgegen. Der Raum war groß, warm und voller Leben – ein starker Kontrast zu den eiskalten Gängen, durch die sie zuvor geführt worden waren.

„Na endlich! Frisches Personal!" rief eine Stimme mit donnerndem Lachen. Vor ihnen stand ein rundlicher, rotwangiger Kobold mit riesiger Kochmütze, der sich die Hände an einer Küchenschürze abwischte. „Ich bin Mixto, Chefkoch seit dreiundachtzig Jahren, dreifacher Gewinner des Eisfeuer-Kochpreises. Und du?" – Er deutete auf Amanda.

„Amanda, und das ist Eleonore. Wir… wollen helfen. Und etwas verändern."

„Ha! Das sagen sie alle am Anfang. Aber ihr habt etwas im Blick... etwas Echtes."

Bevor sie antworten konnten, flitzte ein kleiner, pausbäckiger Kobold zwischen den Beinen der Anwesenden hindurch, eine Pfanne auf dem Kopf tragend. „Vorsicht, heiß! Heiß! Ich bin's, Mampfi, Küchenjunge im dritten Lehrjahr! Ich kann schon Kartoffeln zählen!"
„Er kann sie aber noch nicht richtig schälen", murmelte eine wohlriechende Stimme hinter einem Turm aus Dessertschalen.

Bonbonia, die Dessert-Köchin, trat hervor, ihre Locken dufteten nach Vanille, ihre Augen blitzten hinter einer Brille mit Zuckerstangengestell.
„Ich bin für Süßes zuständig. Und manchmal auch für das Gemüt der anderen. Zucker hilft bekanntlich gegen Kälte im Herzen."

Plötzlich sprang ein Schatten auf den Tisch. Mit einem eleganten Satz landete

Lucia, die Schlosskatze, mitten auf einem Backblech. Ihre bernsteinfarbenen Augen funkelten geheimnisvoll. „Ihr seid also die beiden, von denen Lorena sprach“, miaute sie. „Du... du kannst sprechen?“ fragte Eleonore leise. „Ich konnte es schon, als du noch Gänseblümchen gepflückt hast“, schnurrte Lucia. „Ich war einst die Hofdame der Prinzessin. Verzaubert – zur Strafe, weil ich nicht gegangen bin, wie die anderen.“

Amanda legte vorsichtig eine Hand auf Lucias Kopf. „Wir sind gekommen, um zu helfen. Und... um zu bleiben. Für eine Weile.“

Mixto lachte. „Dann werdet ihr bald den Herrn Minister kennenlernen.“

„Minister?“

„Kontra, der Ernährungsminister“, sagte Bonbonia trocken. „Er kostet alles vor. Und glaubt, dass jedes Gericht eine geheime Botschaft enthält. Sogar Apfelsaft."

„Er hat mal drei Tage lang einen Apfelkuchen unter Arrest gestellt", flüsterte Mampfi ehrfürchtig.

„Aber lasst euch nicht abschrecken", sagte Lucia nun ernster, während sie Amanda und Eleonore zwei fein bestickte Küchenschürzen überreichte. „Hier in der Küche ist man unter Freunden. Die meisten von uns haben genug von der eisigen Kontrolle da draußen."

Sie führte die beiden Frauen durch zwei große Flügeltüren, die in die Vorratskammern führten. Reihenweise standen dort Gläser mit eingelegten Kräutern, Flaschen mit glänzenden Flüssigkeiten, seltsame Wurzeln und Beeren aus allen Teilen des Königreichs. Amanda erkannte einige von ihnen – und viele Möglichkeiten für inspirierende Getränke und stärkende Mahlzeiten.

Als sie zurück in die Küche kamen, flüsterte Lucia ihnen etwas zu, das sie nicht vergessen würden: „Ich werde alles riskieren, wenn es der Prinzessin hilft. Ihr seid nicht allein.“

Amanda und Eleonore sahen sich an. Zum ersten Mal seit Tagen verspürten sie nicht nur Hoffnung – sondern Vertrauen. Hier, in der Schlossküche, zwischen Töpfen, Teig und leisen Verschwörungen, begann sich etwas zu bewegen.

Etwas Warmes. Etwas Gutes.

Kapitel 26

Der Turm, in dem Roberto untergebracht war, war schlicht – eine kalte Kammer mit einem schmalen Fenster, durch das der Nebel der frühen Morgenstunden sickerte wie ein vergessener Traum. Der Steinboden war hart, und das Bett – wenn man es so nennen mochte – war kaum mehr als ein Stapel Decken auf einer Holzbank.

Doch Roberto saß nicht, er lag nicht – er ging auf und ab, langsam, bedächtig. Mit verschränkten Armen und gesenktem Blick.

Was will der König von mir? Warum spricht er von einer Aufgabe – ohne zu sagen, worin sie besteht? Und warum... warum fühlt sich mein Herz so unruhig an, obwohl ich in Gefangenschaft bin?

Worte und Melodien wirbelten durch seinen Kopf. Unfertige Liedzeilen, Harmonien, die sich nicht auflösen wollten. Doch darunter pulsierte etwas anderes – ein Gefühl, das keine Sprache kannte.

Er blieb stehen, sah hinaus in den dunstigen Morgen.

Und lächelte.

„Sie ist hier", flüsterte er. „Ich weiß es."

Ein sanftes Prickeln breitete sich in seiner Brust aus, wie ein leiser Ton, den nur er hören konnte. Wie eine Harfensaite, die angeschlagen wurde, obwohl niemand sie berührte.

Roberto schloss die Augen. Und da war es wieder: Dieses wohlige, warme Vibrieren. Eine Art inneres Licht. Lacrima.

Er kannte sie nicht – nicht mit den Augen. Aber etwas in ihm, tief in seinem Innersten, wusste es: Ihre Seele war ihm begegnet, vielleicht in einem Lied, vielleicht in einem Traum. Oder in jener

Stille zwischen zwei Tönen, wo die Musik beginnt zu sprechen.

Er fuhr sich mit der Hand durch das Haar, lachte leise, fast beschämt über sich selbst.
Ein Gefangener, der von Liebe träumt. Wie albern… oder wie wahr?

Doch je länger er dort stand, allein mit seinen Gedanken, desto mehr wuchs in ihm die Überzeugung, dass es kein Zufall war, dass er in diesem Schloss war. Dass seine Stimme mehr bewirken konnte, als er je geahnt hatte. Und dass seine Ankunft vielleicht nicht das Ende eines Weges, sondern der Anfang einer Befreiung war.

Ein Windstoß wehte durch das kleine Fenster. Roberto drehte sich um. Und in diesem Moment – für den Bruchteil eines Atemzugs – war er sich sicher, einen Blütenduft wahrgenommen zu haben. Wie von einer Rose. Oder einem Traum, der gerade erwacht.

„Ich komme, Lacrima“, sagte er leise. „Ich finde dich.“

Und tief in ihm, da erklang bereits der erste Ton jenes Liedes, das er bald singen würde – nicht für Ruhm, nicht für Freiheit, sondern für Liebe.

Kapitel 27

Der Turm, in dem Lacrima lebte, war hoch, still und von altem Zauber durchdrungen. Die Mauern waren mit feinem Marmor verkleidet, der in zartem Rosa schimmerte, wenn das Morgenlicht durch die hohen Fenster fiel. Überall standen Pflanzen, viele davon zart und empfindlich, wie ihre geliebte Rosaria, eine seltene Rosenpflanze, die nur dann blühte, wenn sie mit wahrer Zuneigung gepflegt wurde.

Lacrima kniete auf dem moosbedeckten Boden vor der Pflanze, ihre Hände leicht über den Blättern. Sie summte leise eine Melodie – ihr eigenes Lied, das sie jede Nacht aus ihren Träumen mitnahm.

Heute jedoch war etwas anders. Der Ton, den sie sang, vibrierte weicher, heller. Etwas hatte sich verändert.

„Du fühlst es auch, nicht wahr?“, flüsterte sie der kleinen Pflanze zu. Und als hätte

Rosaria sie verstanden, schob sich ein neues Knospenblatt aus der Mitte hervor.

Lacrima hielt den Atem an.

Seit Wochen, vielleicht Monaten, hatte die Rose nicht mehr neu getrieben.

Sie stand langsam auf, ging zum Fenster ihres Turms und blickte hinaus über das Tal. Der Nebel war dünn, fast silbrig, und über den Gipfeln flirrte das Licht wie flüssiger Klang.

Da war es wieder.

Dieses Gefühl.

Als würde jemand ganz zart an den Fäden ihres Herzens ziehen. Nicht schmerzhaft, nicht unheimlich – eher wie ein Lied, das man schon einmal gehört hat, aber nie ganz zuordnen konnte.

Ein Traum, der sich erinnerte.

„Ist es... wirklich soweit?“, murmelte sie, und eine Träne löste sich aus ihrem Auge

– nicht aus Traurigkeit, sondern aus einer übervollen Hoffnung.

So oft hatte sie von ihm geträumt – dem Befreier. Nicht einem Ritter mit Schwert. Nein, einem Sänger, der mit seiner Stimme Türen öffnet und Herzen berührt. Jemand, der sie nicht als schwache Prinzessin sieht, sondern als Gefährtin in einer gemeinsamen Aufgabe: dieses Tal zu bewahren, seine Magie zu ehren und die Schönheit der Natur mit kluger Güte zu schützen.

Immer wieder hatte sie diese Träume – in der Dämmerung, in der Nacht. Eine Gestalt, die durch Nebel kam, mit leuchtenden Augen und einem Lied, das ihren Namen trug.

Und jetzt...

Etwas in ihr sagte, dass er ganz nah war. Vielleicht sogar schon im Schloss.

„Lorena hat recht gehabt“, flüsterte sie, die Hand auf das Fenster gelegt. „Die Zeichen sind da. Ich bin nicht mehr allein.“

Ein warmes Ziehen ging durch ihre Brust, und sie lächelte, ohne es bewusst zu merken. In ihrem Innersten wusste sie: Es war mehr als Einbildung. Mehr als Sehnsucht.

Es war der Anfang des Erwachens.

Die Zeit der Einsamkeit würde enden. Und das Lied, das so lange in ihr geschlummert hatte, würde bald nicht mehr nur ihr gehören – sondern beiden.

Kapitel 28

Es war noch früh am Tag, als plötzlich die Tür zur Schlossküche mit einem eleganten Schwung geöffnet wurde. Ein schlanker Kobold mit langem, silbergrauem Mantel trat ein. Sein Haar war gegelt, seine Augen schmal und wachsam – sein Blick prüfend. Minister Kontra, der ernste und stets etwas misstrauische Ernährungsminister, betrat das Reich der Töpfe und Pfannen.

Amanda und Eleonore standen bereit. Ihre Schürzen saßen sauber, ihre Hände waren gewaschen, und der Tisch vor ihnen war ordentlich gedeckt. Mixto, der Hauptkoch, trat einen Schritt zurück, während Mampfi, der Küchenjunge, sich hinter einem riesigen Brotleib versteckte. Bonbonia polierte ihre Zuckerstreuselgläser, als gäbe es kein Morgen.

Minister Kontra räusperte sich wichtig. „Nun. Ihr beiden seid also die neuen Küchenkräfte, von denen der

Oberhofmeister berichtet hat“, sagte er mit steifem Ton. „Ich dulde kein Chaos und keine Experimente. Ich erwarte Inspiration, nicht Wahnsinn. Ihr werdet jetzt eine kleine Kostprobe eurer Fähigkeiten liefern. Ein Mittagssnack – für mich allein. Kreativ, aber kontrolliert. Und... sättigend.“

Amanda und Eleonore verneigten sich leicht und begannen sofort zu arbeiten. Während sie schnitten, rührten und abschmeckten, schlich sich Lucia mit federnden Pfoten heran. Kein anderer bemerkte sie, nur Eleonore zwinkerte ihr kurz zu.

Die Katze schnurrte leise und ließ mit geübtem Pfotenschwung ein Säckchen mit getrockneten Sternenkräutern in Amandas Tasche gleiten – geheimnisvolle Pflanzen, die wärmende Gedanken und Klarheit im Kopf hervorriefen. In Eleonores Nähe platzierte Lucia unauffällig ein kleines Fläschchen mit der

Essenz von Frohsinnsbeeren – eine Zutat, die für gute Laune und Lebendigkeit bekannt war.

Die beiden Frauen arbeiteten wortlos zusammen. Amanda zauberte ein dampfendes Gemüsegericht mit goldenen Karotten, milden Kräutern und einer Prise von Lucias Sternenkräutern. Eleonore bereitete dazu fluffige Dinkelklößchen, die in einem fruchtig-würzigen Sud serviert wurden, mit einem Hauch der Frohsinnsessenz.

Als sie dem Minister den Teller reichten, vergrub dieser sofort seine Nase über dem Essen. Er schnaubte, nickte dann anerkennend und begann zu essen.

Er aß. Und aß. Und... schloss plötzlich die Augen.

Ein leises „Mmmmhh“ entkam ihm. Niemand hatte jemals ein „Mmmmhh“ von Minister Kontra gehört.

„Was... ist das für eine... Note? Etwas – etwas Klarheit? Und diese leichte... Heiterkeit im Abgang!“, rief er erstaunt. Er blickte Amanda und Eleonore an. „Was habt ihr da hineingetan?“

„Nur das, was die Natur uns schenkt, Herr Minister“, antwortete Eleonore mit einem leichten Lächeln. „Mit Sorgfalt, Achtsamkeit – und einem Funken Hoffnung.“

Kontra nahm noch einen letzten Bissen, dann stand er auf, zupfte sein Gewand zurecht und sagte in feierlichem Ton: „Ihr seid eingestellt. Beide. Mit sofortiger Wirkung. Ich werde dem Oberhofmeister und dem König persönlich von eurer Kunst berichten. So etwas... braucht das Schloss. Nein, verlangt das Schloss.“

Er drehte sich auf dem Absatz um, trat aus der Küche und ließ nur seine leichten Fußstapfen und eine Prise Euphorie zurück.

Lucia schnurrte zufrieden. „Das war nur der Anfang“, murmelte sie. „Und ein gutes Zeichen.“

Amanda und Eleonore warfen sich einen Blick zu. Ohne Worte wussten sie: Das war ein erster Schritt – aber ein bedeutender – auf dem Weg zur Befreiung der Prinzessin und zur Veränderung des kalten Schlosses.

Kapitel 29

Minister Kontra stand mit straffem Rücken vor dem Thron, seine Hände hinter dem Rücken verschränkt, sein Gesicht vor Erschöpfung leicht gerötet – nicht vom Stress, sondern vom überaus zufriedenstellenden Probemahl in der Küche.

König Enrico, der in einem Gewand aus tiefem Blau mit silbernen Stickereien thronte, hörte sich den Bericht mit erhobenem Kinn und halb geschlossenen Augen an – wie jemand, der zuhört, aber bereits weiterdenkt.

„Interessant... sehr interessant...“, murmelte der König schließlich, nachdem der Minister geendet hatte. „Diese Frauen scheinen über subtile Kenntnisse zu verfügen. Eigenschaften, die man... *nutzen* könnte.“

Er erhob sich aus seinem Thron und trat an eines seiner vielen Fenster, das den

Blick auf den Nebel über dem Tal freigab. „Vielleicht ist es an der Zeit, den Speiseplan des Schlosses umzustellen. Unsere Kobolde wirken... träge. Müde. Uninspiriert. Sie bewegen sich, als wäre ihr Inneres... verstaubt."

Der Minister hob fragend die Brauen.

„Ich will ab sofort, dass diese beiden Frauen die Ernährung des Hofes übernehmen – *nach meinen Vorgaben*. Ich werde ihnen sagen, was ich von ihnen erwarte. Speisen, die die Kobolde disziplinieren, aufwecken, antreiben. Getränke, die Gehorsam fördern und Aggression zur rechten Zeit wachrufen."

Er drehte sich um, seine Augen funkelten. „Gleichzeitig benötigen wir... Sanftmut. Verständnis. Ich will wissen, ob der Sänger steuerbar ist."

Der König rief nach einem Diener.

„Bestellt in der Küche einen besonderen Wohlfühlpudding, mit Vanille, Honigduft, einem Hauch Zitronenmelisse. Er soll schmeicheln. Und er soll... weichmachen.“

Dann wandte er sich erneut an Minister Kontra.
„Ich möchte, dass Roberto diesen Pudding mit mir einnimmt. Gleich heute. Danach führe ich ihn in die Labore. Ich will sehen, was in ihm steckt. Und wenn er tatsächlich Fähigkeiten besitzt, die mir von Nutzen sind – werde ich ihn nicht mehr gehen lassen.“

Minister Kontra verneigte sich. „Majestät. Es wird alles wie gewünscht veranlasst.“

Der König setzte sich wieder und murmelte: „Es wird Zeit, die Dinge zu ordnen.“

Er ließ sofort neue Verfügungen aufsetzen:

- Die Höhlen-Kobolde sollten in ihre unterirdischen Reviere geschickt werden, um eine

Bestandsaufnahme aller Edelsteine vorzunehmen.

- Die Schloss-Kobolde hatten sämtliches Inventar zu sichten, zu reinigen und zu katalogisieren – jedes Kissen, jeder Kerzenhalter, jedes Pergament.

„Kein Staubkorn soll übersehen werden“, sagte der König. „Nur Ordnung schafft Kontrolle. Und Kontrolle... ist der Weg zur Macht.“

Währenddessen wurde in der Küche schon auf Hochtouren gearbeitet. Amanda und Eleonore, die von Lucia einen Hinweis bekommen hatten, bereiteten den Wohlfühlpudding mit aller Sorgfalt zu – dabei schummelten sie auch diesmal eine Prise Herzenswärme-Kraut hinein, von dem Lucia versichert hatte, dass es das *wahre Wesen eines Menschen oder Kobolds* für einen Moment zutage fördern könne.

Der Pudding dampfte mild, duftete zart und wurde auf einem silbernen Tablett zum Thronsaal gebracht.

Gleich danach wurde Roberto benachrichtigt:
„Der König erwartet Euch. Es wird... ein Gespräch bei Pudding.“

Kapitel 30

Roberto betrat mit vorsichtigem Schritt den goldverzierten Speisesalon, in dem bereits ein zierlich gedeckter Tisch für zwei vorbereitet war. Darauf dampfte ein cremefarbener Wohlfühlpudding in kostbaren Schalen. Der Duft von Vanille, Honig und Zitronenmelisse hing in der Luft, und ein sanftes Licht schimmerte durch die hohen Fenster.

König Enrico lächelte ein wenig zu selbstzufrieden, als er seinen Gast mit einer Geste an den Platz ihm gegenüber wies.
„Setzt Euch, junger Mann. Ein kleiner Genuss vor dem Gespräch.“

Roberto, höflich und wachsam, setzte sich und nahm einen Löffel. Der Pudding schmeckte warm und beruhigend, fast wie eine Erinnerung an eine Umarmung. Der König aß ebenfalls – wenn auch mit weniger Genuss, dafür mit mehr Überlegung. Doch schon nach den ersten

Löffeln wurde seine Miene weicher, sein Blick verlor an Schärfe.

„Also, mein lieber Roberto…“, begann Enrico schließlich, als die Schalen geleert waren. „Ich möchte Euch etwas zeigen.“

Sie verließen den Salon und gingen durch mehrere Korridore, vorbei an Wandteppichen und alten Rüstungen, bis sie die Labore des Königs erreichten. Lorena hatte sie bereits beschrieben, aber Roberto war überwältigt von dem Anblick: Riesige Fernrohre, eine Vielzahl von Maschinen mit blinkenden Lichtern, gläserne Kugeln, sich drehende Messinstrumente, und ein großes Teleskop, das fast bis zur Decke reichte.

„Hier forsche ich“, erklärte der König mit funkelnden Augen. „Doch es geht nicht um Sterne. Es geht um Klänge, Roberto. Töne, die kein normales Ohr hören kann – aber die wirken. Tief wirken.“

Er deutete auf eine Apparatur aus Röhren, Saiten und Resonanzkörpern. „Meine Entdeckung ist einfach – und zugleich revolutionär: Jeder hörbare Ton kann einen unhörbaren Ton in sich tragen. Niemand merkt es. Aber jeder wird davon beeinflusst. So kann Musik Gefühle steuern, Entscheidungen lenken... ja, sogar Träume formen."

Roberto runzelte die Stirn. „Ihr wollt... Musik als Waffe benutzen?"

Enrico lächelte. „Als Mittel. Ich will, dass jedes Wesen, wenn es Musik hört, nicht nur hört, was es hören *will* – sondern was *ich* will. Und genau hier kommt Ihr ins Spiel."

Er trat näher an den Sänger heran. „Ich brauche jemanden, der echte Melodien schafft. Musik, die die Menschen lieben. Und gleichzeitig... in sich verborgen... meine unsichtbare Botschaft trägt. Ich glaube, **Ihr** könnt das. Ich habe es gespürt. Und wenn Ihr es schafft, Roberto, dann… dürft Ihr Euch einen Wunsch erfüllen. Einen einzigen. Ganz gleich, was es ist.“

Roberto antwortete nicht sofort. Er blickte auf eine der Maschinen, in der kleine Lichtpunkte rhythmisch flackerten, wie ein leiser Takt.

„Majestät… darf ich Euch etwas fragen?“

Der König nickte.

„Warum wollt Ihr andere kontrollieren? Warum wollt Ihr nicht einfach… ihre Achtung oder ihr Vertrauen?“

Für einen Moment schwieg Enrico. Dann lehnte er sich an den Fensterrand. „Als Kind bekam ich alles, was ich mir wünschte. Spielzeug. Süßigkeiten. Reisen. Aber niemals... echte Zuwendung. Meine Eltern haben nur reagiert, wenn ich Unfug trieb. Wenn ich etwas kaputt machte. Wenn ich böse war. Dann schauten sie mich endlich an.“

Er blickte Roberto offen an, ohne Zorn, fast wie ein Kind, das noch immer wartet. „Ich habe gelernt, dass es leichter ist, beachtet zu werden, wenn man etwas Negatives bewirkt. Also wurde das mein Weg. Es war nie... böse gemeint. Es war nur... notwendig."

Roberto sagte leise: „Aber Menschen – und Wesen – hören besser, wenn man ihnen mit Wahrheit begegnet. Nicht mit Manipulation."

Der König winkte ab. „Vielleicht. Vielleicht auch nicht. Wir werden sehen, Roberto. Jetzt... beginnen wir. Das Labor steht Euch offen. Zeigt mir, was Ihr könnt."

Kapitel 31

In der warmen, würzig duftenden Schlossküche herrschte geschäftiges Treiben. Töpfe klapperten, Mampfi schleppte Körbe voller Gemüse, während Bonbonia zarte Zuckerrosen auf ein Törtchen setzte. Mixto, der dicke Chefkoch mit der brodelnden Stirn und dem noch brodelnderen Kessel, rührte konzentriert in einer dampfenden Suppe.

Amanda und Eleonore, nun fest in ihre neuen Schürzen geschnürt, hatten sich in der Küche eingelebt – doch längst nicht in Gedanken zurückgelehnt. Im Gegenteil: Seit dem Besuch des Ernährungsministers Kontra war ihnen etwas Entscheidendes klar geworden.

„Weißt du, Eleonore“, sagte Amanda leise, während sie Basilikumblätter zerpflückte, „wir haben mehr Einfluss, als wir dachten. Nicht nur auf den Speiseplan... sondern auf die Stimmungen im ganzen Schloss.“

Eleonore nickte nachdenklich. „Die Kobolde, der Minister, sogar der König – sie alle sind abhängig davon, was sie zu sich nehmen. Und wir haben Zugang zu den Essenzen. Wenn wir sie gezielt einsetzen, könnten wir…“ – sie senkte die Stimme noch weiter – „…Stimmungen verändern. Zweifel säen. Mut machen. Schlaf fördern. Oder Widerstandskraft.“

In diesem Moment kam Lorena durch das halb geöffnete Fenster hereingeschwebt und landete sanft auf einem Beerenkorb. Ihre Flügel glänzten im Licht, ihre Augen funkelten entschlossen.

„Ich habe das Gespräch des Königs mit Roberto belauscht“, begann sie. „Er will Roberto für seine klanglichen Experimente benutzen – ihn mit Essen weich stimmen, ihn überreden, Musik zu komponieren, die manipuliert.“

Amanda presste die Lippen zusammen. „Dann ist es umso wichtiger, dass wir unsere Aufgabe… *anders* nutzen.“

Lucia, die Schlosskatze, schlich schnurrend zu ihnen und ließ sich neben Lorena nieder.
„Die Vorratskammer enthält noch Essenzen, die einst von den alten Elfenmeistern verwahrt wurden“, sagte sie mit flackernden Augen. „Ich kann euch helfen, sie zu finden – aber vorsichtig müsst ihr sein. Wenn Kontra etwas merkt…“

„Wir werden nichts unüberlegt tun“, versprach Eleonore. „Aber eines ist klar: Diese Küche ist mehr als ein Ort für Suppen und Braten. Sie ist… unsere Kommandozentrale.“

Sie legten sogleich los. In einem kleinen Seitenraum, abgeschirmt vom Haupttrubel der Küche, begannen die drei Frauen, ein geheimes Essenzregal anzulegen. Darin sammelten sie Tropfen für Mut, Klarheit, Empathie, aber auch für Traurigkeit, Verwirrung oder sogar

Schläfrigkeit – letztere für die besonders sturen Kobolde.

Bonbonia, die Dessertköchin, bemerkte das seltsame Treiben mit Interesse, aber sie war eine vertrauenswürdige Seele und versprach, nichts zu verraten. Auch Mampfi, der Küchenjunge, schwor beim Duft der Bratäpfel, dass er loyal sei – besonders, wenn man ihm hin und wieder eine Portion Honigpudding abgab.

Lorena deutete schließlich auf die große Kasserolle, in der gerade ein Eintopf für die Wachen brodelte. „Heute Abend", sagte sie entschlossen, „werden wir einen Tropfen *Erinnerungskraft* hineingeben. Vielleicht erkennen manche wieder, wie es einmal war, bevor der König alles kontrollieren wollte."

Amanda hob den Löffel wie einen Zauberstab.
„Dann lasst uns kochen. Für die Hoffnung. Für die Freiheit."

Kapitel 32

Roberto saß allein in einem der tiefen, runden Laborräume, verborgen im Innersten des Schlosses. Um ihn herum standen seltsame Konstruktionen: silberne Röhren, drehbare Resonanzkugeln, spiegelnde Platten aus Halbedelsteinen, über die hauchzarte Klangwellen tanzten, als wären sie lebendig. Über allem lag eine seltsame Stille – keine gewöhnliche Stille, sondern eine, die vibrierte, als hätte sie selbst ein geheimes Flüstern.

An den Wänden hingen Zeichnungen, Partituren, Tabellen. In sauberer Schrift waren die Symboliken der Kristalle aufgelistet:

- Amethyst – Ruhe, Intuition
- Citrin – Klarheit, Wille

- Lapislazuli – Wahrheit, Geistige Freiheit
- Obsidian – Schattenkräfte, Kontrolle
- Rosenquarz – Herzöffnung, Heilung

Roberto fuhr mit den Fingerspitzen über die Glasabdeckung einer Schale voll winziger Klangsteine, während seine Gedanken kreisten.

„Zwei Wege…“

Der erste: Er könnte das Spiel des Königs mitspielen. Herausfinden, wie man hörbare mit unhörbaren Tönen verbinden kann, wie Kristalle in Resonanz gehen, wie man das Unsichtbare in Kompositionen webt. Der König hatte versprochen, ihm dafür einen Wunsch zu gewähren – vielleicht *den* Wunsch, Lacrima zu befreien, das Schloss zu erlösen, allen freundlichen Wesen ihre Freiheit zu schenken.

Aber…

„Zu welchem Preis?“

Wenn er dem König tatsächlich zum Erfolg verhalf, würde dieser nicht zögern, seine Erkenntnisse zur Macht über Welt und Sternenräume zu nutzen. Wer weiß, wie viele Wesen er noch beherrschen, wie viele Herzen er mit unterschwelligen Klängen beeinflussen würde?

Roberto seufzte. *Er konnte nicht einfach weglaufen.* Er war mittendrin – als Einziger in der Lage, Zugang zu dem zu bekommen, was der König bislang vor allen verborgen hielt.

Er betrachtete die Kristalle. Vielleicht gab es einen dritten Weg.

„Was, wenn ich die Kompositionen so erschaffe, dass sie ihn verändern?“

Was, wenn sich in den untergemischten Tönen nicht Gehorsam, sondern Mitgefühl, Verständnis und sogar Selbsterkenntnis verbarg?

Was, wenn der König selbst durch seine eigene Musik eine neue Sicht auf sich und die Welt bekam? Roberto wusste, es klang verrückt. Doch irgendetwas in seinem Herzen – vielleicht diese warme, flimmernde Nähe, die er immer wieder spürte – sagte ihm, dass er *nicht nur zerstören oder belohnen*, sondern auch heilen konnte.

Und dann war da noch ein Gedanke. Ein Wunsch, der in ihm aufstieg, zärtlich und leuchtend:

„Was, wenn das Schloss sich zurückverwandeln ließe?“

In einen Ort voller Musik, voller Licht, in dem Wesen frei lebten, forschten, musizierten – mit dem König, wenn er sich verändern konnte. Oder ohne ihn, wenn er es nicht wollte.

Doch wie?

Roberto beugte sich über die Schriften. Er würde forschen, hören, lauschen.

Komponieren, nicht nur mit Tönen, sondern mit Wahrheit.

Denn das Lied, das er zu schreiben begann, war mehr als ein Werk – es war eine Entscheidung für die Zukunft.

Kapitel 33

Während in den tiefen Laboren Roberto über Kompositionen und Kristalle brütete, schwebte Lorena mit ihren zarten Flügeln durch eine knarrende Wendeltreppe in den obersten Bereich des Schlosses. Es war ein verstaubter, beinahe vergessener Teil des alten Gemäuers – der Dachboden, von dem kaum jemand sprach.

Ein winziges Fenster ließ fahles Licht herein. Es tanzte über alte Truhen, vergilbte Kisten, zerbeulte Ritterhelme und verblasste Vorhänge. In der Ecke stand ein wackeliger Kleiderschrank, in dem zerfledderte Umhänge und viel zu kleine Kinderschuhe hingen. Alles war in Staub gehüllt – und doch war es, als ob die Zeit selbst hier den Atem anhielt.

Lorena landete sacht auf einem Holzbrett und blinzelte.

Dann blieb sie stehen.

Vor ihr stand ein Regal. Und darin:

Zehn Teddybären.

Neun von ihnen waren noch in Geschenkpapier eingewickelt – sorgfältig, liebevoll, unberührt. Nur einer war ausgepackt. Er saß leicht zusammengesunken da, das Fell etwas abgewetzt, eine Pfote lose angenäht. In seinen Knopfaugen lag ein Ausdruck von stummer Geduld.

Lorena trat näher.

„Warum neun unberührte...?“

Neben dem Regal fand sie ein kleines Notizbuch. Die Seiten waren vollgekritzelt mit krakeliger Kinderschrift – eindeutig die eines Jungen. Vielleicht... des jungen Enrico?

Sie las:

„Mein erster Bär heißt Galopp. Ihm erzähle ich alles. Mama sagt, ich bekomme jeden Geburtstag einen neuen, aber ich brauche nur Galopp.“

Blätternd stieß Lorena auf spätere Einträge:

„Mama war nicht da. Papa hat den neuen Bären hingelegt. Ich will ihn nicht auspacken. Ich hab Galopp.“

Und dann, noch später:

„Ich glaube, ich werde alle anderen nie auspacken. Es wäre nur ein Beweis, dass sie mich nicht verstehen.“

Lorena hielt inne. Plötzlich wirkte das Regal nicht mehr wie eine vergessene Ecke, sondern wie ein stilles Mahnmal einer kindlichen Einsamkeit. Die neun verpackten Bären waren keine Geschenke – sie waren Zeugen der Enttäuschung, der Hoffnungslosigkeit, der Sehnsucht nach echter Nähe.

Ein kalter Schauder lief ihr über den Rücken.

„Der König hat sich nie geliebt gefühlt... und aus dieser Leere hat sich sein Hunger nach Macht genährt.“

Noch einmal blickte sie dem einzigen ausgepackten Bären in die Augen. Galopp, so stand auf dem eingenähten Etikett.

Lorena spürte: Diese Entdeckung war kein Zufall. Vielleicht war es ein Schlüssel. Vielleicht gab es einen Weg, *den König nicht zu bekämpfen, sondern zu erreichen*. Nicht nur mit Magie, sondern mit Erinnerung... mit Menschlichkeit.

Sie schloss das kleine Buch behutsam, schwebte hinab zur Küche – Galopp im Arm – und wusste: Es war an der Zeit, mit Amanda, Eleonore und Lucia zu sprechen.

Denn manchmal beginnt die größte Veränderung mit einem einzigen, alten Stofftier.

Kapitel 34

Der Duft von karamellisiertem Fenchel und geröstetem Dinkel stieg aus schweren Töpfen auf, während in der großen Schlossküche geschält, geschnippelt und gerührt wurde. Amanda und Eleonore standen an der Seite der Dessert-Köchin Bonbonia, die gerade ein sirupgetränktes Rosenblütenkompott abschmeckte, als die Tür sachte aufschwang.

Ein frischer Luftzug strich durch den Raum.

Lorena trat ein – den kleinen Teddybären Galopp fest an sich gedrückt, sein Fell grau von Staub, seine Pfote lose angenäht, aber mit einem so eigentümlichen Ausdruck im Gesicht, dass alle in der Küche abrupt innehielten.

„Was hast du da?“ fragte Amanda leise, während sie sich ein Tuch von der Schulter nahm, um ihre Hände abzuwischen.

Lorena ließ sich auf der Anrichte nieder, setzte Galopp neben einen Brotkorb aus Roggen und sprach:

„Ich war auf dem Dachboden. Dort habe ich das gefunden. Den einzigen ausgepackten Teddybären aus einer Reihe von zehn. Und dazu ein Tagebuch – mit Einträgen von... König Enrico, als er noch ein Kind war."

Ein Moment der Stille trat ein.

Mampfi, der Küchenjunge, hatte sogar aufgehört zu naschen.

Lucia, die Schlosskatze, sprang auf den Küchentisch und betrachtete das Stofftier eingehend. Ihre smaragdgrünen Augen glänzten. „Das... das ist Galopp", sagte sie plötzlich. „Ich erinnere mich. Den hat er überall mit hingeschleppt, damals. Als der König noch ein kleiner Junge war und seine Eltern noch hier lebten."

Eleonore nahm den Bären vorsichtig in die Hände. „Er sieht aus, als hätte er viel gehört… und geschwiegen."

„Er hat nie die anderen Bären ausgepackt", fuhr Lorena fort. „In seinem Tagebuch schreibt er: *Ich brauche nur Galopp.* Und: *Niemand versteht mich."*

Amanda schüttelte langsam den Kopf. „Und heute will er die Welt manipulieren, nur um Aufmerksamkeit zu erzwingen, wie damals von seinen Eltern…"

„Vielleicht," flüsterte Lucia, „trägt dieser Bär einen Teil seiner Menschlichkeit in sich – einen Teil, den er vergessen hat."

Bonbonia, die Dessertköchin, wischte sich verstohlen eine Träne aus dem Augenwinkel. „Ich hab immer gesagt, in alten Stofftieren steckt eine Seele."

Ein leichter Windstoß kam durch das geöffnete Fenster. Ein paar Zimtkrümel wirbelten vom Tisch.

Speranzo, der leise durch den Gang getappt war, lugte kurz zur Tür herein, hörte das Wort „Galopp“ und verharrte. Auch er kannte das Spielzeug aus seinen ersten Diensten – er hatte es einmal durch einen zerkratzten Türspalt gesehen, als er dem jungen Enrico ein Glas Wasser bringen sollte. Es war das einzige Mal gewesen, dass der kleine Prinz nicht geschrien oder gewütet hatte – sondern still mit dem Bären im Arm dagesessen war.

„Vielleicht ist das unsere Chance,“ sagte Amanda nun entschlossen. „Vielleicht können wir den König an etwas erinnern, das tiefer sitzt als seine Machtgier.“

Lorena nickte. „Aber wir dürfen nichts überstürzen. Dieser Bär darf nicht in falsche Hände geraten. Noch ist er ein Schlüssel – kein Werkzeug.“

Ein Knistern lag in der Luft – wie vor einem Gewitter, oder vor einem Wandel.

Galopp, der alte Teddybär, saß stumm inmitten der geschäftigen Schlossküche. Und doch hatte er einen Stein ins Rollen gebracht, der den Lauf der Geschichte verändern könnte.

Kapitel 35

In den geheimnisvollen Laboren des Schlosses wanderte Roberto weiter durch seltsame Apparaturen und verwirrende Skizzen. Der Raum war erfüllt vom Knistern alter Geräte, dem leisen Tropfen aus Glasröhren, und manchmal sogar von sphärischen Klängen, die wie aus dem Nichts zu kommen schienen.

Eine Apparatur, die an ein gläsernes Wasserrad erinnerte, drehte sich langsam über einem Becken. Darunter ein altes Tonbandgerät, das Wellenmuster aufzeichnete – „Tonexperimente mit fließendem Wasser“, stand auf dem Messingschild daneben.

Ein paar Schritte weiter ein Raum voller rankender Pflanzen, jede in einem gläsernen Klangdom eingesperrt. Roberto las: *„Sprachversuche mit botanischen Wesen – Frequenzen unterhalb des Bewusstseinsbereichs“*.

Er fühlte sich gleichzeitig fasziniert – und beunruhigt.
Welche Kräfte wollte der König hier entfesseln?

*

In der Schlossküche herrschte währenddessen rege Diskussion.

Amanda, Eleonore, Lorena, Lucia, Bonbonia und sogar Speranzo saßen um den großen Tisch herum, während Galopp, der Teddybär, auf einem Kissen thronte wie ein stiller Zeuge der Beratungen.

„Wir können ihn dem König nicht einfach so vor die Nase setzen“, meinte Amanda. „Vielleicht erinnert er sich an etwas Schmerzhaftes – oder wird wütend“, warf Eleonore ein.

Lucia legte den Kopf schräg. „Und wenn wir ihn in einem Moment erwischen, in dem er empfänglich ist? Vielleicht nach einer musikalischen Erfahrung... oder in einer Erinnerungsszene?“

„Was, wenn der König merkt, dass wir manipulieren wollen?“ fragte Bonbonia leise.

Die Einigung blieb aus. Man wollte nichts überstürzen.

*

Plötzlich ertönte die schwere Glocke am Schlosstor.

Ein Wächter lief zur Pforte. Dort stand eine etwa sechzigjährige Frau mit wettergegerbtem Gesicht und Wanderjacke.

„Guten Tag. Mein Name ist Frau Meier. Zwei Touristinnen, die bei mir in der Pension wohnen, sind gestern Morgen aufgebrochen und nicht zurückgekehrt. Ich mache mir Sorgen."

Der Oberhofmeister wurde herbeigerufen. Als er von zwei Touristinnen hörte, zog sich seine Stirn in steile Falten.

„Wie sehen die Damen denn aus?" fragte er mit übertriebener Höflichkeit.

Frau Meier zögerte nicht.

„Eine von ihnen war etwas kleiner, dunkelhaarig, mit so einem klugen Blick. Die andere groß, rotblond, sehr freundlich. Sie wollten nur bis zum Wasserfall und dann zurück sein."

Der Oberhofmeister stutzte. *Amanda und Eleonore?*

„Ach… und wissen Sie vielleicht ihre Nachnamen?" fragte er, schon halb überzeugt, aber mit misstrauischer Stimme.

„Nein", sagte Frau Meier, „aber sie haben in das Gästebuch *Amanda & Eleonore, Sonderurlaub – Inspiration und Stille* geschrieben."

Ein eiskaltes Lächeln schlich sich auf das Gesicht des Oberhofmeisters.

Also doch nicht einfach zwei herumreisende Bäuerinnen mit Talent für Speisen...

„Vielen Dank für die Auskunft, gnädige Frau", sagte er kühl. „Wir werden der Sache nachgehen."

Als Frau Meier sich wieder auf den Rückweg machte, ließ der Oberhofmeister bereits eine Nachricht an den König aufsetzen.

Diese beiden Damen... scheinen nicht zufällig hier zu sein.

Kapitel 36

Ein Bote erschien in der Küche, atemlos und blass.

„Amanda… Eleonore… der König wünscht euch – sofort.“

Alle in der Küche erstarrten. Selbst die Suppe hörte auf zu blubbern. Lorena flog aufgeregt in kleinen Kreisen, während Lucia den beiden Frauen ermutigend zunickte.

„Verliert nicht die Nerven. Ihr habt es bis hierher geschafft – ihr seid stärker, als er glaubt.“

Mit festen Schritten – doch mit klopfenden Herzen – betraten Amanda und Eleonore den Audienzsaal. Dort saß König Enrico auf seinem Thron, umgeben von zwei Hofschreibern, dem Oberhofmeister und dem Ernährungsminister Kontra, der nervös mit seinem Löffel spielte.

Der König ließ die beiden Frauen mustern. Lange.
Dann sagte er mit gefährlich ruhiger Stimme:

„Zwei Touristinnen, sagt man mir. Die zufällig in dieses Tal kamen. Die dann – *zufällig* – eine Stelle in meiner Schlossküche annahmen.
Und die – *rein zufällig* – erstaunlich viel Gespür für magische Kulinarik besitzen... Was, meine Damen, führt euch wirklich hierher?“

Stille. Man hätte das Zittern einer Feder hören können.
Dann trat Amanda einen Schritt vor.

„Majestät... es stimmt. Wir sind tatsächlich zuerst als Touristinnen in dieses Tal gekommen.
Die Landschaft hat uns tief beeindruckt. Die Atmosphäre war... beinahe verzaubert.
Und dann geschah etwas, das wir selbst

kaum erklären konnten: Wir fühlten uns wie… gerufen.“

Der König hob eine Augenbraue. Amanda fuhr ruhig fort:

„Wir beschlossen, zu bleiben. Und da wir keine Last sein wollten, haben wir uns nach einer Arbeit umgesehen. Die Schlossküche schien ein guter Ort. Wir haben Fähigkeiten – feine Rezepturen, Essenzen mit Wirkung auf Stimmung und Fokus.
Und, ehrlich gesagt: Uns gefällt es hier. Sehr sogar. Wir wären bereit, zu bleiben – auf Dauer.“

Ein langes Schweigen folgte. Dann winkte der König die Hofschreiber weg. Selbst Kontra wurde entlassen. Nur der Oberhofmeister blieb.

König Enrico erhob sich und ging langsam auf die beiden zu.

„Ich traue selten… doch ich schätze Mut. Und Redlichkeit.“

Er stand nun sehr nahe vor Amanda, dann vor Eleonore.

„Ihr bleibt. Vorerst. Aber ich werde euch beobachten.
Und wehe, ihr mischt etwas anderes in meine Suppen, als ich euch auftrage.“

Er wandte sich zum Gehen. Doch noch im Gehen murmelte er:

„Ich habe das Gefühl, ihr seid gekommen, um mehr zu bewirken als eine gute Mahlzeit...
Und vielleicht... vielleicht braucht dieses Schloss genau das.“

Dann war er fort.

*

Kapitel 37

Amanda und Eleonore standen nebeneinander auf dem Balkon, der sich seitlich an die alte Schlossküche anschloss. Die Luft war mild, ein sanfter Wind fuhr durch die Baumwipfel, und erste Sterne blinkten zaghaft am Himmel auf. Aus der Ferne war das gedämpfte Klirren von Geschirr zu hören, vermischt mit dem leisen Summen des Tages, der sich langsam zurückzog.

„Er hat uns noch nicht durchschaut“, flüsterte Eleonore und ließ den Blick über das dunkler werdende Tal schweifen. „Aber ich glaube, er spürt, dass wir nicht einfach nur Köchinnen sind.“

Amanda nickte langsam. „Er ist klug. Und misstrauisch. Das ist eine gefährliche Kombination, aber auch eine sehr menschliche.“

„Glaubst du, er kann sich ändern?“, fragte Eleonore leise. Ihre Stimme hatte etwas Sanftes, fast wie eine zaghafte Bitte.

Amanda überlegte einen Moment. „Menschen ändern sich nicht durch Argumente oder Befehle. Aber sie verändern sich durch Berührung – nicht nur körperlich, sondern innerlich. Wenn etwas in ihnen vibriert, das sie lange nicht gespürt haben.“

„Wie ein Lied, das man ganz vergessen hat“, murmelte Eleonore. „Aber das sofort etwas in einem anklingen lässt, wenn es erklingt.“

Amanda lächelte. „Oder wie ein Geruch, der einen plötzlich wieder in einen sicheren Moment der Kindheit versetzt. Ich glaube, der König hat so viele Mauern gebaut, dass er selbst kaum noch weiß, warum. Vielleicht war er einmal sehr verletzlich. Und wurde verletzt.“

„Und deshalb hält er sich an Regeln, an Rituale, an Kontrolle." Eleonore legte den Kopf leicht schief. „Er hat Angst, etwas zu verlieren, das er sich mühsam bewahrt hat. Vielleicht auch sich selbst."

Amanda schwieg kurz. Dann sagte sie ruhig: „Was wir tun können, ist nicht, ihn zu überzeugen. Sondern ihn zu erinnern. An sich selbst. An das, was in ihm noch lebt. Und daran, dass es Menschen gibt, die ihn nicht benutzen, sondern verstehen wollen."

Eleonore sah sie an. „Glaubst du, er glaubt an uns?"

„Noch nicht", antwortete Amanda. „Aber ich glaube, er will es. Und das ist ein Anfang."

„Also machen wir weiter?"

Amanda nickte. „Mit Gefühl. Mit Geschmack. Mit Takt. Und mit einem Hauch Mut."

Sie lächelten sich an. Dann schwieg Amanda einen Moment, ehe sie sanft hinzufügte: „Weißt du, ich glaube, tief in seinem Herzen wartet er auf einen Grund, wieder zu vertrauen. Er würde es nie zugeben. Aber der Moment kommt. Vielleicht schon bald."

Eine Weile standen sie einfach nur da, während der Himmel sich mehr und mehr mit Sternen füllte. Dann zog eine Sternschnuppe über das Dunkel, elegant und still, als habe sie genau diesen Moment gewählt.

„Ich glaube, er hat sich schon ein bisschen verändert", flüsterte Eleonore.

„Ja", sagte Amanda. „Ganz leise. So wie alles beginnt, was wirklich zählt."

Kapitel 38

Kaum waren Amanda und Eleonore wieder in der Küche eingetroffen, fiel die Anspannung wie ein schwerer Vorhang von allen Anwesenden. Bonbonia ließ beinahe ihre Dessertcreme überkochen, Mampfi hörte für einige Sekunden auf zu naschen, und Lucia sprang sofort auf die Anrichte.

„Was ist passiert? Wurdet ihr entlarvt? Hat er euch geglaubt?“ flüsterte sie atemlos.

Amanda und Eleonore schüttelten nur die Köpfe und setzten sich erstmal schwer auf zwei Küchenhocker. Dann berichteten sie – leise und mit Bedacht – was der König gefragt, was sie geantwortet und wie er schließlich reagiert hatte. Während sie sprachen, hörten alle zu. Selbst der Löffel in der Suppe schien den Atem anzuhalten.

Lucia schloss am Ende der Erzählung die Augen und schnurrte beinahe.

„Ihr habt es gut gemacht. Sehr gut. Aber wir dürfen uns nicht zu sicher fühlen. Der König ist ein Meister darin, Wahrheit zu riechen – und Täuschung zu übersehen, wenn sie ihm nützt."

Dann wandte sie sich an Lorena, die ungeduldig auf dem Fensterbrett hockte, die Flügel leicht vibrierend.

„Du musst zu Roberto. Sofort. Er muss alles erfahren."

*

Lorena flog durch das Schloss wie ein Lichtfunke im Morgendunst. Die Türen standen offen, Fensterläden klapperten im Wind, und Inventurlisten raschelten durch die Gänge.

In einem stillen Labor, umgeben von geheimnisvoll glimmenden Kristallen, saß Roberto.
Er war tief in die Betrachtung eines Wasserklangexperiments versunken, als ein leiser Luftwirbel seine Haare streifte.

„Lorena!“, flüsterte er, ohne aufzublicken. „Ich habe dich gespürt.“

Die Elfe setzte sich auf die Ecke seines Notizbuches und sah ihn an, ernst und entschlossen.

„Es gibt Neuigkeiten. Amanda und Eleonore… sie mussten vor den König treten. Er hat sie verhört – aber sie haben sich behauptet. Sie behaupteten, als Touristinnen hierhergekommen zu sein und nun bleiben zu wollen, weil sie sich inspiriert fühlten.“

Roberto lächelte leicht, aber es war ein nachdenkliches Lächeln.

„Und hat er ihnen geglaubt?“

„Vorerst ja. Doch wir wissen, wie schnell das kippen kann. Darum... sei wachsam. Sie sind dir näher, als du denkst.“

Sie erzählte ihm von den Gesprächen in der Küche, vom Plan, über die Speisen und Essenzen Einfluss zu nehmen – nicht nur nach dem Willen des Königs, sondern im Sinne eines größeren Ziels.

Dann schwieg sie kurz.

„Roberto... es ist alles in Bewegung. Und du bist ein Teil des innersten Zentrums. Was du hier in den Laboren tust, wird über vieles entscheiden.“

Roberto nickte, nahm vorsichtig einen kleinen Kristall in die Hand, der schwach in violettem Licht pulsierte.

„Ich habe das Gefühl… dass die Entscheidung bald kommt. Aber sie wird nicht einfach. Wenn ich falsch wähle, könnte alles verloren sein – Wenn ich richtig wähle… wird es auch Opfer geben."

Lorena sah ihn lange an.

„Dann wählen wir gemeinsam. Und wir werden Wege finden, bei denen niemand verloren gehen muss. Nicht einmal der König… vielleicht."

Kapitel 39

Es war Abend geworden. Ein zarter Nebel legte sich über das Tal, und das Schloss war in ein fahles, lilagraues Licht getaucht. Die Inventurarbeiten klangen allmählich ab, vereinzeltes Klappern und Murmeln erfüllte noch die Flure, als am großen Tor ein flatterndes Geräusch zu hören war.

Der Wachkobold Tornik hob den Kopf, runzelte die Stirn und öffnete langsam die kleine Pforte im schweren Haupttor. Vor ihm hing – beinahe schwebend – ein sonderbares Wesen mit großen, wachsam glitzernden Augen, die in alle Richtungen zu spähen schienen.

„Ich heiße Natascha", sagte die Fledermaus, mit leicht näselnder Stimme. „Und ich habe eine wichtige Mitteilung. In meiner Höhle war jemand. Ein fremder Mann.“

Tornik blinzelte verdutzt, ließ sie jedoch ein – schließlich war dieser Tag ohnehin voll von sonderbaren Besuchern. Bald darauf wurde Natascha im kleinen Audienzzimmer des Oberhofmeisters befragt, wo der König – über Umwege – auch davon erfahren sollte.

„Ein Mann, sagst du?“ fragte der Oberhofmeister und kritzelte mit einem albern gebogenen Federkiel auf ein halb zerknittertes Pergament.

„Nun… ein Wesen. Es bewegte sich wie ein Mensch, aber seine Schritte waren… nun ja, …fedrig. Fast so, als würde er schweben.
Er war warm… aber innen drin kalt. Ich spürte es.
Und… seine Stimme klang wie… Regen, der stolpernd rückwärtsfällt. Außerdem roch er nach Steinpilz und versprochenem Glück.“

Der Oberhofmeister sah sie mit offenem Mund an.

„Äh… Und… wie sah er aus?"

„Ich *sah* ihn nicht", sagte Natascha empört.
„Ich *fühlte* ihn. Meine Echoortung sagte mir: hoher Kopf, aufgewühltes Herz, funkelnde Gedanken. Aber… kein Gesicht. Nur Musik in seinem Atem."

Der Schreiber neben dem Oberhofmeister seufzte leise und notierte:

„Mann – möglicherweise schwebend. Möglicherweise aus Pilzen. Stimme klingt wie… verkehrter Regen. Gesicht: keines. Möglicherweise Musiker."

*

Als der Bericht beim König ankam, war dieser gerade damit beschäftigt, die neuen Sitzkissen im Thronsaal auf „Geradheit und Energiefluss“ überprüfen zu lassen.

Ein Dienerkobold reichte ihm den Bericht.

Der König las, blinzelte, las erneut, dann schnaubte er leise.

„Ein schwebender Pilzmensch mit funkelnden Gedanken? Der sich wie Regen anhört?“
„Das... klingt ja fast wie... Roberto.“

Doch er sagte es nicht laut. Stattdessen legte er den Bericht zur Seite und runzelte die Stirn.

„Bringt mir die Fledermaus. Ich will sie selbst hören.“

Kapitel 40

Natascha saß auf einem kleinen, goldbemalten Hocker im Thronsaal. Ihr flatteriges, dunkles Fell hob sich kaum vom Schatten der hohen Wände ab, doch ihre Augen leuchteten wie zwei funkelnde Knöpfe im Dämmerlicht.

König Enrico betrachtete sie mit zusammengekniffenen Augen.

„Du hast also gespürt, dass jemand in deiner Höhle war“, begann er gedehnt. „Und dieser Jemand war ein Mensch? Oder etwa... *etwas anderes*?“

Natascha kicherte leise.

„Er war... voller Gedanken. Das ist selten. Die meisten Wesen denken nicht sehr weit. Er aber... war so voller Musik, dass selbst das Gestein vibrieren wollte. Und voller Herz.“

Der König schwieg. Dann lehnte er sich langsam in seinen Stuhl zurück, fingerte an einer metallenen Saite, die an seiner Armlehne befestigt war, und murmelte:

„Ein Mensch, der denkt und fühlt… Musik, Herz, Vibrationen… Klingt nach jemandem, der meine Forschungen durchschaut haben könnte.“ Dann schnaubte er. „Oder… jemand, der *zu viel* versteht.“

*

Enrico stand auf und begann langsam im Raum auf und abzugehen, während Natascha ihn schweigend beobachtete – mit hängenden Flügeln und still wippenden Ohren.

„Vielleicht ist dieser Roberto gar kein einfacher Sänger. Vielleicht ist er ein Spion. Oder ein Gegenspieler. Oder… einer dieser neuen Gutmenschen, die glauben, die Welt retten zu müssen, ohne

gefragt zu werden."
„Vielleicht will er mein Werk untergraben. Oder – noch schlimmer – *verstehen* und dann *verändern*."

Er hielt inne.

Ein Gedanke schoss ihm durch den Kopf – nur kurz – wie ein Pfeil aus Licht:

„Vielleicht ist er wegen der Prinzessin hier."

Doch sofort winkte er sich innerlich ab.

„Nein, nein. So einer wie Roberto verliebt sich nicht in ein Porträt oder ein Märchen. Der will Anerkennung. Der will Beachtung. Einen Namen in der Musikgeschichte. Orden. Applaus. Standing Ovations auf galaktischen Bühnen."

Der König knurrte leise.

„Das wäre mir fast lieber. Solche Leute sind vorhersehbar."

Er wandte sich an einen seiner Leibkobolde:

„Lasst ihn zu mir kommen. Sofort.“

Während Natascha diskret aus dem Raum flatterte – mit dem Gefühl, mehr Fragen als Antworten hinterlassen zu haben – wurde Roberto im Labor über die Anordnung des Königs informiert.

Ein Soldatenkobold, steif wie ein Kleiderständer, trat ein und sprach:

„Seine Majestät erbittet Eure Anwesenheit. Es geht um eine wichtige, persönliche Angelegenheit. Sofort.“

Roberto hob den Kopf von einer Glasschale mit schimmernden Tönen, die auf der Oberfläche tanzten. Er atmete tief ein. Irgendetwas lag in der

Luft. Etwas war im Begriff, sich zu verändern.

Kapitel 41

In der Schlossküche roch es nach gerösteten Nüssen, kandierten Blüten und einem Hauch von geheimnisvollen Kräutern. Bonbonia schnippelte still an einem Sirupkuchen, Mampfi stopfte sich verstohlen ein Stück Käse in den Mund, und Mixto war tief in einer Gewürzordnung versunken, die niemand so recht verstand.

Amanda rührte in einem Topf, ohne wirklich hinzusehen. Eleonore trocknete Gläser mit geübten Bewegungen, aber ihre Gedanken schienen kilometerweit entfernt.

Plötzlich schlug Lorena die Flügeltür zur Küche auf – nicht erschöpft, aber eilig. Sie flatterte auf den Tisch und setzte sich mitten zwischen einen Haufen Schürzen.

„Er hat Roberto zu sich rufen lassen," sagte sie leise, aber eindringlich.

„Der König. Nach dem Gespräch mit der Fledermaus. Er misstraut ihm. Sehr."

Mixto, der sonst alles auf die leichte Schulter nahm, stellte sein Glas ab.

„Misstrauen dem Sänger gegenüber? Aber warum? Er ist doch..." „Gefährlich. Für den König. Weil er fühlt," warf Amanda ruhig ein.

Lucia, die Schlosskatze, sprang auf die Fensterbank und spitzte die Ohren.

„Fühlen ist im Schloss unerwünscht. Es sei denn, es lässt sich instrumentalisieren."

Bonbonia runzelte die Stirn.

„Das ist schlecht. Sehr schlecht. Wenn der König beginnt, zu zweifeln, könnte er zu allem greifen."

Lorena hüpfte auf einen Mörserrand und sah Amanda und Eleonore direkt an.

„Wir müssen vorsichtig sein. Aber wir haben auch eine Chance. Er weiß nicht, was wir wissen. Noch nicht.“

„Meinst du den Bären?“ fragte Eleonore. „Den Bären, den Dachboden, die Laboraufzeichnungen, seine Kindheit, seine Wunde... alles.“

Mampfi schob seinen Keks zur Seite.

„Was ist, wenn er Roberto… was antun will?“

Stille.

Dann sprach Lucia:

„Wir dürfen ihm keine Angst machen. Nicht mit direkten Konfrontationen. Aber wir können… gegensteuern. Von innen heraus.“

Amanda nickte langsam.

„Wir können in der Küche weiterarbeiten. Nicht nur mit Töpfen, sondern mit Stimmungen.“

Eleonore grinste schmal.

„Emotionen als Zutaten. Wie bei einem gut gewürzten Plan."

Mixto kicherte.

„Dann sind wir ab jetzt die Souschefs des Schicksals."

Lucia miaute zustimmend.

Lorena schwebte zur Mitte der Runde und legte ihre kleine Hand aufs Herz.

„Roberto ist nicht allein. Und ihr seid es auch nicht. Ich bleibe hier, bis ich mehr weiß. Ich flieg dann wieder zu ihm."

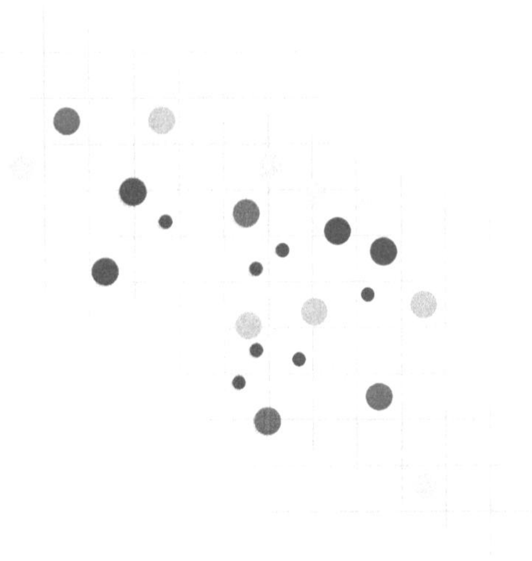

Roberto trat ein. Die Tür schloss sich langsam hinter ihm, als wolle sie ihm den Rückweg nicht ganz verbauen, aber doch merklich erschweren.

Der Raum war eigenartig. Überall standen kleine Regimenter aus Zinnsoldaten, liebevoll aufgestellt in exakt berechneten Formationen. Winzige Pferde mit glänzenden Rüstungen, Feldherren mit abblätterndem Goldanstrich und sogar Miniaturkanonen – alles sorgfältig inszeniert.

Am anderen Ende des Raums hockte Enrico auf einem samtbezogenen Hocker, die Arme vor der Brust verschränkt. Seine Augen funkelten. Zwischen Daumen und Zeigefinger hielt er einen Offiziers-Zinnsoldaten und drehte ihn unaufhörlich.

„Willkommen, Roberto," begann der König. Seine Stimme klang freundlich, aber durchdrungen von einer unüberhörbaren Schärfe. „Setz dich. Oder auch nicht. Bleib stehen, wenn du willst. Ich werde dir zuhören. Aber diesmal rede ich zuerst."

Roberto nickte, stellte sich ruhig in die Mitte des Raums, die Hände gefaltet.

Enrico erhob sich und begann, langsam zwischen seinen Zinntruppen zu schreiten.

„Weißt du... Menschen glauben oft, ich sei zu streng. Zu hart. Zu misstrauisch. Zu... kontrollierend. Aber das ist dummes Geschwätz. Ich nenne es: *Wehrhaftigkeit*."

Er blieb stehen, hob einen Zinnsoldaten empor wie ein Orakel und blickte Roberto durchdringend an.

„Wenn ich mich nicht verteidige – gegen *alles* – werde ich vernichtet. Ich habe gelernt, dass auch die Harmlosen, die Zögernden, die Sanftmütigen gefährlich sein können. Weil sie oft etwas verbergen. Oder benutzt werden."

Er legte den Soldaten zurück in die Reihe.

„Ich bin der Einzige, der weiß, was richtig ist. Für mich, für das Schloss, für meine Kobolde – und vielleicht, ja vielleicht, für das Universum. Deshalb: Ich dulde keinen

Zweifel. Kein Chaos. Kein unbekanntes Element, das mein System stört."

Dann drehte er sich zu Roberto.

„Also frage ich dich direkt: Warum bist du wirklich hier? Was ist dein *wahrer* Grund, in mein Reich einzutreten, meine Speisen zu essen, in meinen Laboren zu stehen?"

Seine Stimme vibrierte. Ein Hauch Bedrohung lag darin, aber auch tiefe, aufgewühlte Sehnsucht nach Wahrheit.

Roberto erwiderte den Blick. Ruhig. Aber wachsam.

Kapitel 42

Ein kurzer Moment der Stille senkte sich über den Raum. Der König stand da, inmitten seiner Zinnsoldaten, die wie stumme Zeugen über das Gesagte wachten. Die Luft war schwer – nicht von Gefahr, sondern von Erwartungen, Unsicherheiten, Fragen, die in der Luft schwebten wie dünner Nebel.

Roberto holte leise Luft. Seine Stimme war ruhig, nicht zittrig, aber auch nicht fordernd. Er sprach wie jemand, der gerade über einen schmalen Grat ging – vorsichtig, bedachtsam, aber doch mit Haltung.

„Majestät… ich verstehe euren Argwohn. Ich wäre wohl ebenso vorsichtig, sähe ich einen Fremden in meinem Reich auftauchen. Und ich gebe zu: Ich weiß selbst nicht genau, warum ich hier bin.“

Enrico zog die Augenbrauen zusammen. Noch sagte er nichts. Roberto fuhr fort:

„Ich folge meiner Lebensmelodie. So nenne ich das, was mich führt. Es ist keine klare Stimme, kein Befehl, kein Plan. Es ist ein inneres Klingen – manchmal leise, manchmal stark.
Sie hat mich hierhergeführt. Nicht mit einem Ziel, sondern mit einem Sog. Und ich hatte das Gefühl, ihr vertrauen zu können."

Der König verschränkte die Arme, runzelte die Stirn. „Du meinst, du *spürst* einfach, dass du hierher gehörst?"

Roberto nickte leicht.

„Vielleicht ist es Naivität. Vielleicht Intuition. Aber wenn ein Mensch sich auf das einlässt, was er innerlich als wahr empfindet – dann handelt er im Einklang mit seinem Schicksal.
Ich habe keinen Plan gegen Euch, Majestät. Ich habe auch keinen Anspruch

auf irgendetwas. Ich bin gekommen, weil ich geglaubt habe, hier *könnte* etwas von Bedeutung geschehen. Etwas, das mich, vielleicht sogar Euch, verändern kann."

Enrico schwieg. Er drehte einen Zinnsoldaten auf der Stelle, sein Blick glitt ab.

„Lebensmelodie, sagst du..." murmelte er schließlich.
„Das klingt... weich. Fast gefährlich weich. Und dennoch... es klingt auch nach etwas, das ich nie gelernt habe."

Ein leiser Schatten huschte über sein Gesicht – ein Moment der inneren Rührung, den er sofort wieder mit einem strengen Blick zudeckte.

„Nun gut, Roberto. Deine Worte sind diplomatisch. Fast zu schön. Aber ich will sehen, was dein Schicksal dir einbringt. Mach deine Arbeit weiter. Die Labore stehen dir offen. Aber sei dir sicher – ich beobachte dich. Mit allen Sinnen."

Roberto neigte den Kopf.

„Das ist Euer gutes Recht, Majestät."

Der König trat zurück zu seinen Soldaten. Für einen Augenblick war da etwas in seinem Blick, das fast wie Unsicherheit wirkte. Doch gleich darauf richtete er sich wieder auf und sprach mit schneidender Stimme:

„Du bist frei für heute. Geh. Hör auf deine Melodie. Und wehe, sie singt gegen mich."

Roberto verbeugte sich und verließ den Raum.

Kapitel 43

Der Tag neigte sich seinem Ende zu, und in der großen Schlossküche herrschte geschäftiges, aber entspanntes Treiben. Dampf stieg von den frisch gespülten Töpfen, Teller klirrten, während sie gestapelt wurden, und irgendwo in einer Ecke summte Bonbonia ein Lied, das nach Karamell und Vanille klang.

Mixto schwenkte das Spültuch mit der Eleganz eines alten Zirkusartisten und meinte:

„So sauber war's hier zuletzt, als der König einmal probeweise einen Hygienewettbewerb ausgerufen hat. Wurde natürlich nach zwei Tagen wieder vergessen."

Mampfi versuchte vergeblich, eine Bonbonhülle vom Boden aufzuheben, ohne sich zu bücken.

Lucia, auf einem Brett neben dem Fenster sitzend, leckte sich seelenruhig eine Pfote und kommentierte:

„Wenn alle nur halb so gründlich wären wie ich... gäb's hier keine Krümel mehr."

Amanda und Eleonore wischten gerade die letzten Reste von feinem Kräuterstaub vom Tisch. Der süßherbe Duft der besonderen Essenzen, die sie vorsichtig in kleine Fläschchen abgefüllt hatten, lag noch zart in der Luft.

„Also," sagte Eleonore mit einem Lächeln, „ich freu mich auf die Sternschnuppen. Der Himmel ist klar, heute werden wir bestimmt viele sehen."

„Und jeder darf sich etwas wünschen", rief Mampfi begeistert.

Da ging die Küchentür auf – mit einem leichten *Zirpen* der Scharniere – und Lorena kam hereingeflogen. Ihre Flügel flatterten kurz auf, bevor sie auf dem großen Regal landete.

Ihr Gesicht war ernst.

„Ich wollte euch schnell noch berichten, bevor wir in den Garten gehen“, begann sie ohne Umschweife. „Es hat wieder einen Zwischenfall gegeben.“

Die Gespräche verstummten sofort. Mixto stellte sein Tuch ab. Lucia spitzte die Ohren.

„Der König hat heute Abend Roberto erneut zu sich gerufen. In einem Raum, wo er mit Zinnsoldaten spielt – eine bizarre Kulisse. Er hat ihn ausgefragt. Sehr misstrauisch. Und dann kam auch noch die Fledermaus Natascha ins Spiel. Sie hat von einem Besucher in ihrer Höhle berichtet – meinte aber, es sei ein fremder Mann gewesen. Ihre Beschreibung war… nun ja, völlig abgedreht. Nichts davon erinnerte an Roberto, aber der König ist dadurch noch wachsamer geworden.“

„Oje…“, murmelte Amanda.

„Wird Roberto verdächtigt?“, fragte Eleonore besorgt.

„Noch nicht direkt. Aber Enrico hat ihn wohl sehr genau beobachtet. Und Roberto hat sich diplomatisch verhalten, das hat ihn vermutlich gerettet. Er sagte, seine *Lebensmelodie* habe ihn hierhergeführt.“

Bonbonia nickte langsam. „Klingt schön. Gefährlich schön. Der König mag keine Dinge, die er nicht messen und befehlen kann.“

„Deshalb müssen wir vorsichtig sein“, sagte Lorena leise.

„Aber auch: bereit. Ich glaube, es wird bald sehr ernst. Wir dürfen nicht nur auf günstige Gelegenheiten warten – wir müssen sie schaffen.“

Lucia sprang elegant vom Brett.

„Dann treffen wir uns heute Abend nicht nur zum Sternegucken. Wir treffen uns… zur Planung.“

Roberto stand am Fenster eines hohen Turmzimmers, den Blick gen Himmel gerichtet. Die Nacht war hereingebrochen, klar und kühl, und bereits der erste helle Streif eines Sterns zuckte durch die samtschwarze Kuppel. Ein Hauch von Aufregung lag in der Luft – nicht nur im Schloss, sondern auch tief in seinem Innersten.

Er fühlte sich gedrängt. Nicht von außen – nicht von Enrico oder dessen Fragen – sondern von einer inneren Dringlichkeit. Etwas in ihm drängte ihn vorwärts. Die Melodie seines Lebens hatte sich in den letzten Tagen verändert, dichter, gespannter. Die Töne hatten neue Farben angenommen, und in jeder Pause, jeder kleinen Stille, war eine Ahnung zu spüren: *Etwas rief ihn.*

Der Raum, in dem er sich nun eingerichtet hatte, war ungewöhnlich. Turmhoch, mit schrägen Wänden und Fenstern in alle Himmelsrichtungen, enthielt er sowohl alte Gemälde als auch zerbrechliche Instrumente – Klangschalen, Kristallgläser, die auf verschiedenen Füllhöhen mit Wasser versehen waren, eine kleine Harfe, ein altertümliches Spinett.

Auf einem Tisch lagen hölzerne Platten mit aufgeklebten Steinen, daneben eine Sammlung von Tonstrukturen aus den Labors. Ein metallischer Empfänger mit durchsichtiger Membran summte leise, bereit, jede Vibration, jedes Gefühl aufzuzeichnen, das Roberto hineinlegte.

Er atmete tief ein, setzte sich ans Spinett und spielte leise eine Tonfolge, die ihm schon den ganzen Tag durch den Kopf geisterte. Er schloss die Augen, berührte nacheinander die Saiten der Harfe, ließ eine Klangschale schwingen – ihr Ton vibrierte lange im Raum, schien sich mit dem Nachtwind zu vermischen.

Dann stellte er sich zwischen zwei der Gemälde – eines zeigte eine Frau mit verschlossenem Blick, das andere ein pulsierendes Licht in dunklem Nebel. Roberto betrachtete beide und fühlte in sich hinein. Er ließ diese Empfindungen wachsen, ohne sie zu bewerten. Trauer, Sehnsucht, eine Art warmes Vibrieren in der Brust.

Er berührte mit der Fingerspitze den Empfänger. Und: *Die Membran reagierte.* Ein zarter Ton floss durch das Gerät – unhörbar für menschliche Ohren, aber sichtbar als leichte Verzerrung im Licht, das über die Steine flackerte.

Als draußen die nächste Sternschnuppe fiel, summte das Spinett von allein, als hätte ein Windhauch es gestreift.

Roberto stand still. Da war etwas.

Empfindungen verbanden. Nicht nur Menschen, nicht nur Vergangenheit und Gegenwart – auch Töne, auch Dinge. Gefühle waren Brücken, nicht Grenzen.

Er probierte es erneut. Diesmal verband er ein sanftes Gefühl von Dankbarkeit – an Lacrima, an das Leben, an die Melodie selbst – mit einer Reihe von Tönen aus einem halb gefüllten Wasserglas. Und wieder: *Die Klänge verbanden sich. Harmonisch. Echt.*

Er war elektrisiert.

Vielleicht, dachte er, liegt die wahre Kraft gar nicht im Beherrschen, sondern im Fühlen. Vielleicht war das der Weg: *Nicht Töne zu unterwerfen, sondern durch Gefühle zu verbinden.*

Draußen fiel die hundertste Sternschnuppe, und Roberto wünschte sich in seinem Herzen:

„Möge alles, was durch das Herz berührt wird, in Einklang kommen."

Kapitel 44

Lacrima stand am offenen Fenster. Die Nacht war still – eine jener besonderen Nächte, in denen das Universum zu atmen schien. Der Himmel war gesprenkelt mit Licht, und zwischen den Sternen schossen immer wieder silberne Fäden über das Firmament, Sternschnuppen, als wären es Botschaften in Bewegung.

Ihr Haar wehte leicht im Wind, und ihre Augen glänzten – nicht nur vom Schein der Gestirne, sondern von dem tiefen Gefühl, das in ihr pochte. Ein Gefühl, das sie kannte. Das nie verschwunden war.

Ein Herz. Ganz in der Nähe. Ein Herz, das mit dem ihren im gleichen Rhythmus schlug.

Sie legte eine Hand auf ihre Brust und schloss die Augen. Ja, es war da. Unverkennbar. Dieser sanfte, aber unerschütterliche Pulsschlag einer Seele, die mit der ihren verwoben war.

Seit sie denken konnte, hatte sie davon geträumt. Von einem Sänger, einem Mann, der nicht nur seine Lieder in die Welt schickte, sondern auch die tieferen Töne ihrer Seele kannte. Jemand, von dem sie innerlich wusste, dass sie nie wirklich von ihm getrennt gewesen war. Vielleicht hatte es eine Zeit gegeben, in der ihre Körper fern voneinander lebten – aber nicht ihre Herzen.

"Unsere Verbindung wurde nie gelöst," flüsterte sie in die Nacht. *"Nicht durch Raum. Nicht durch Zeit."*

Und doch fühlte sie sich hier, in ihrem goldenen Käfig, nutzlos. Ihre Tage waren gleichförmig, bestimmt von stiller Pflege kleiner Dinge – ein paar Blumen, die sie am Leben erhielt, ein paar zarte Gedanken, die sie mit den Vögeln teilte. Doch das war nicht alles, was sie war.

In ihr schlummerte eine Kraft, das spürte sie. Nicht eine Kraft des Befehls, sondern der Verbindung, der Heilung, der

Wiederherstellung. Etwas, das sie entfalten konnte – *wenn das andere Herz sie fand. Wenn ihr Lied beantwortet würde.*

Sie lehnte sich aus dem Fenster, sah zu den Sternen auf und ließ eine einzelne Träne die Wange hinabgleiten. Es war keine Träne der Traurigkeit. Es war eine Träne der Sehnsucht. Und der Gewissheit.

Er war hier.

Er suchte.

Und sie würde durch seine Liebe befreit.

Nicht weil sie schwach war. Sondern weil zwei Kräfte zusammengehörten. Zwei Seelen, die gemeinsam mehr waren als allein. Zwei Lieder, die sich nicht überlagerten, sondern ineinanderklangen.

„Wenn du mich hörst… singe weiter,“ flüsterte Lacrima. *„Ich werde antworten.“*

Und draußen fiel eine Sternschnuppe. Dann noch eine. Und eine dritte. Und irgendwo ganz oben in einem Turm summte ein Klang, so leise und fein, dass nur zwei Herzen ihn hören konnten.

*

Kapitel 45

Lacrima hatte sich nicht vom Fenster entfernt. Die Sternschnuppen zogen weiter über das Himmelszelt, ein zarter Wind fuhr durch ihr Haar. Doch plötzlich veränderte sich etwas. Ein Strom durchfuhr sie, kaum wahrnehmbar für den Körper – aber umso deutlicher für ihr Inneres.

Es war, als würde jemand ihren Namen denken. Nicht laut – aber mit einer Reinheit, wie sie nur aus einem einzigen Ort kommen konnte: dem Herzen.

Er denkt an mich.
Er fühlt mich.

Ein tiefer Atemzug erfüllte sie mit Wärme. Ihre Brust hob sich, als würde sie selbst Töne empfangen, Musik, die nur für sie gemacht war. Keine Melodie im eigentlichen Sinn – eher eine Kette von Empfindungen: Neugier. Hoffnung. Entschlossenheit. Liebe.

Sie griff nach der Fensterbank, so stark war das Gefühl – es war, als hätte jemand an der goldenen Kette gezogen, die ihre Seele mit einer anderen verband. Ihre Augen füllten sich mit Tränen, nicht aus Schmerz, sondern aus einer überwältigenden Erinnerung an das, was sie immer wusste:

Er ist wirklich da. Er sucht mich nicht nur. Er kennt mich. Er erinnert sich. Nicht mit dem Verstand – sondern mit dem Herzen.

Ein Bild huschte durch ihren Geist – eine Harfe, ein Kristall, ein Raum voller Töne. Und dann: ein Gesicht. Nicht ganz klar. Wie durch feinen Nebel. Aber es war da. Seine Augen. Seine Hände, wie sie sich über Instrumente legten. Und das Licht – das Licht, das ihn umgab, das von innen kam.

Er ist es. Er ist mein Befreier. Aber nicht, weil ich gerettet werden muss… …sondern weil wir uns ergänzen.

Sie trat einen Schritt zurück, legte eine Hand auf ihr Herz. Es schlug kräftig und ruhig. Ganz so, als wüsste es längst, dass seine Zeit gekommen war.

„Ich werde auf dich warten,“ flüsterte sie, *„doch ich werde nicht untätig sein. Ich werde mein Licht vorbereiten, damit du es erkennst. Wenn du mich brauchst, werde*

ich bereit sein. Denn auch ich bin mehr als eine Gefangene."

Und während sie das sagte, öffneten sich einige der Blumen in ihrer Obhut – mitten in der Nacht. Als hätten sie selbst die Töne vernommen. Als wollten auch sie sich einmischen in dieses Lied zweier Herzen.

Kapitel 46

Der Himmel über dem Schlossgarten war gesprenkelt mit Licht – zahllose Sternschnuppen zogen ihre glühenden Bahnen über das dunkle Blau. Die Küchencrew hatte sich nach dem Aufräumen im Gras versammelt. Eine Decke war ausgebreitet, eine kleine Laterne brannte, und man teilte ein paar Reste des Desserts – Bonbonias köstliche Honig-Mandel-Kekse.

Mampfi lag ausgestreckt im Gras und versuchte, in den Sternen Drachen zu erkennen. Mixto hatte die Arme verschränkt, sein Blick ernst. Bonbonia tippte nachdenklich mit dem Finger auf eine Schüssel, in der noch Lavendelblüten schwammen. Eleonore und Amanda saßen eng beisammen, hörten aufmerksam zu. Lorena, wie so oft leicht aufgeregt, knabberte an einem Grashalm.

„Also…" begann Mixto. „Dem König einfach einen Bären auf den Schoß zu setzen, ist kein Plan. Das ist eine Provokation."

„Es könnte aber auch ein Schlüssel sein", murmelte Amanda. „Wenn man den richtigen Moment trifft."

„Nur… wann ist der richtige Moment?" warf Bonbonia ein. „Der König ist unberechenbar. Mal schwelgt er in Erinnerungen, dann wieder bricht er vor lauter Misstrauen alles ab."

In diesem Moment öffnete Lucia langsam ein Auge. Niemand hatte sie bisher beachtet, sie hatte zusammengerollt auf einer Bank gelegen, die Augen geschlossen – als sei sie längst eingeschlafen. Doch nun richtete sie sich langsam auf, reckte sich ausgiebig, dann sagte sie mit ruhiger Stimme:

„Am morgigen Abend ist ein Arbeitsessen. Der König lädt seine neun Minister ein. Neun Stühle für neun Männer. Und ein Thron für ihn.“

Alle schauten sie an. Amanda fragte zögernd: „Aber... ist das nicht sein Geburtstag?“

Lucia nickte langsam. „Ja. Doch er hasst diesen Tag. Er sagt, er bringe ihm nur bittere Erinnerungen. Darum nennt er es Arbeitsessen. Aber alle im Schloss wissen, was es wirklich ist: ein Tag, an dem er angreifbarer ist als sonst. Innerlich, meine ich.“

„Du meinst... wir könnten da...“ begann Eleonore.

„...die Teddybären einsetzen“, beendete Lucia. „Neun auf die Ministerstühle. Und Galopp, seinen alten Gefährten, auf den Thron. Dorthin, wo seine Kindheit noch sitzt.“

Ein kurzes Schweigen senkte sich über die Runde. Die Idee war stark. Und riskant.

„Er wird toben“, flüsterte Bonbonia.

„Vielleicht nicht“, sagte Amanda. „Vielleicht… wird er endlich hören.“

Genau in diesem Moment rauschte es im Gebüsch – Lorena kam angerannt, flatternd, außer Atem.

„Ich hab Neuigkeiten!“ rief sie, noch ehe sie richtig gelandet war. „Von Roberto!“

Alle wandten sich ihr zu.

„Er hat heute Abend große Fortschritte gemacht. Er hat einen Weg gefunden, verschiedene Tonarten miteinander zu verweben. Über Gefühle! Er meint, dass Emotionen eine Brücke zwischen Tönen bauen können, sogar zwischen denen, die sich sonst abstoßen.“

„Das klingt magisch“, murmelte Eleonore.

„Aber das ist noch nicht alles“, fuhr Lorena fort. „Er hat sich auf einen der alten Stühle gesetzt – genau dort, wo der König manchmal sitzt, wenn er seine Befehle aufzeichnet. Und aus dem Holz des Stuhls ist eine Melodie zu ihm gedrungen. Ein Schlaflied. Es muss aus Enricos Kindheit stammen. Roberto will es noch heute Nacht aufnehmen und weiterbearbeiten.“

Stille.

Dann sagte Lucia leise: „Dieses Lied… könnte der Schlüssel sein. Wenn der König es hört, während er Galopp auf seinem Platz sieht… dann könnte das etwas öffnen.“

„Vielleicht eine Erinnerung“, flüsterte Amanda.

„Oder eine Wunde“, ergänzte Eleonore.

„Aber auch Wunden wollen heilen“, sagte Mixto.

Langsam nickten alle.

Die Sternschnuppen glitten weiter über den Himmel – als hörten sie zu und vermerkten sich den Plan.

*

Noch bevor das erste Licht über die schimmernden Zinnen des Schlosses strich, war in der Küche bereits das erste Klappern von Töpfen und das Rascheln von Schürzen zu hören. Der Duft von frischen Kräutern, warmer Vanille und einem Hauch Zitrus lag in der Luft – zart und verheißungsvoll. Es war ein besonderer Morgen. Der Morgen *des Tages*, an dem sich vieles ändern konnte.

Amanda und Eleonore waren die ersten am Herd, ihre Bewegungen ruhig und bedachtsam. Heute ging es nicht nur um Geschmack – heute ging es um *Wirkung*.

„Alles, was wir heute servieren, muss leicht sein“, sagte Eleonore, während sie mit geübtem Griff die Blüten einer weißen Melisse in eine Schüssel rieseln ließ. „Kein schweres Fett, keine scharfen Gewürze, kein überladener Teller.“

„Sanft, klärend und öffnend“, ergänzte Amanda, während sie in einer Pfanne mit zartem Rosenöl goldene Scheiben Pastinake briet. „Wir brauchen Speisen, die im Magen nicht kämpfen, sondern einladen. Und im Herzen Türen aufschließen.“

Mampfi war mit dem Hobeln von Fenchel beschäftigt, der heute einen milden Salat bilden sollte – gemischt mit Apfelstückchen und feinen Lavendelblüten. Bonbonia rührte konzentriert an einer samtigen Suppe aus weißem Sellerie, Mandelmilch und einem Hauch Muskat, die sie mit Orangenöl verfeinern wollte.

„Das hier… ist wie eine Umarmung von innen“, sagte sie zufrieden.

Mixto kümmerte sich um das Gebäck – kleine Küchlein mit Honig, Mohn und einem Hauch Kamille. Er hatte in den Teig eine Prise Kakao gegeben, nicht der Süße wegen, sondern wegen seiner verbindenden Tiefe. Dazu kredenzte er leichte Teigtaschen mit einem Püree aus weißen Bohnen und Majoran – herzhaft und doch zart.

Lorena flitzte durch die Küche, trug Zutaten, verteilte frische Blumen zum Garnieren und erinnerte an kleine, aber entscheidende Details:

„Keine Knoblauchspuren! Kein Zimt – macht unruhig! Und denkt an die Farbgestaltung! Die Teller sollen wirken, als könnten sie flüstern!“

Sie alle wussten: Heute musste jeder Teller mehr sein als nur Nahrung. Heute war jedes Gericht eine Einladung – zu Erinnerung, zu Offenheit, zur Empathie.

In einer großen Tonschüssel bereiteten sie eine Kräuterlimonade vor – mit Zitronenverbene, Rosenwasser, einem Hauch Lavendel und hauchdünn geschnittenem Apfel. Sie war kühl, erfrischend, klärend. Und sie machte – auf geheimnisvolle Weise – das Zuhören leichter.

Lucia, halb auf einem Kissen liegend, halb beobachtend, murmelte:

„Der König wird nicht wissen, was ihm geschieht. Und genau darum könnte heute etwas geschehen, das er sich nie hätte vorstellen können."

Ein Sonnenstrahl fiel durch das geöffnete Fenster. Auf der Fensterbank lagen, von Lorena eigens bereitgelegt, die neun neuen Teddybären. Und neben ihnen: Galopp – ein wenig schief, ein wenig zerknautscht, aber mit einem so warmen

Blick in seinen Knopfaugen, dass selbst Mixto sich kurz räuspern musste.

Noch war alles leise, doch in der Küche war sie schon spürbar – die Vorbereitung auf eine stille Revolution.

Kapitel 47

Roberto arbeitete fieberhaft, doch seine Bewegungen waren konzentriert und ruhig, fast andächtig. Seit dem frühen Morgen hatte er keinen Bissen gegessen, nur Wasser getrunken, das er mit kleinen Klangexperimenten behandelte – es hatte jetzt einen vollen, fast runden Geschmack. Der Sänger hatte sich in das höchste Turmlabor zurückgezogen, das wie ein Gewächshaus mit Glaswänden in alle Richtungen hinausblickte. Von dort konnte er die langsam erwachende Landschaft sehen, und auch die Spitzen des Schlossgartens, wo sich die Küchencrew bereits zu regen begann.

Lorena war kurz zuvor bei ihm gewesen und hatte mit rascher Stimme alle Entwicklungen berichtet: die Pläne mit den Teddybären, das besondere Menü, das Schlaflied. Roberto hatte lange genickt – und dann, wie aus dem Nichts, war ihm etwas eingefallen.

„Vergissmeinnicht... Himmelschlüssel... Tausendschönchen... Tränende Herzen...“

Er murmelte die Namen vor sich hin, während seine Hände durch die alten Aufzeichnungen und Kristallanalysen des Königs glitten. Etwas hatte ihn gestoßen – eine Erinnerung, ein feiner innerer Impuls, wie ein musikalischer Schatten.

Er stellte erneut eine Verbindung zu seinem empfindlichsten Tonresonator her, einer kreisrunden Wasserschale, über der einzelne Kristalle schwebten. Diesmal sprach er die Namen der vier Blumen laut und langsam. Und dann geschah es.

Der Ton veränderte sich.

Ein subtiler Nebenton, den er in seinen bisherigen Kompositionen nicht hatte steuern können – jener manipulative, ins Unhörbare gleitende Aspekt – wurde auf einmal absorbiert. Glatt verschluckt, wie von einer unsichtbaren Wand aus Licht.

Roberto blinzelte. Wiederholte den Vorgang. Und wieder: *Die Energie dieser Pflanzen löste den manipulativ programmierten Unterton in Nichts auf.*

„Sie sind... Gegenfrequenzen," flüsterte er. „Schutzmelodien."

Plötzlich erinnerte er sich: Enrico hatte diese Pflanzen vor Jahren offiziell aus dem Schloss verbannt – angeblich wegen ihrer allergenen Wirkung auf die Kobolde. Doch nun erkannte Roberto: Diese Pflanzen waren *nicht nur Heilpflanzen – sie waren Wächter.* Ihre Schwingungen machten jeden Versuch emotionaler Beeinflussung durch versteckte Tonfrequenzen *wirkungslos.*

Er sah auf die Glasplatte vor sich, auf der er die Namen der Pflanzen notiert hatte. Dann blickte er auf seinen linken Arm. Das Muttermal. Es ruhte noch immer verborgen unter dem schimmernden Tintentropfen, mit dem er es vor Wochen bedeckt hatte.

„Wenn etwas geschieht, wenn alles kippt…“ dachte er, „…dann zeige ich, wer ich bin. Ich zeige, wessen Blut durch meine Adern fließt.“

Er konnte es noch nicht fassen, aber er *fühlte*, dass das Muttermal mehr war als ein Kennzeichen – es war ein Zeichen, ein uralter Code, der ihn mit dem Herz eines anderen Wesens verband.

Vielleicht mit Lacrima.

Vielleicht mit der Melodie, die einst in zwei Körpern gespielt hatte, aber aus einem Ursprung stammte.

Er atmete tief durch, schloss für einen Moment die Augen und spürte: Hoffnung. Nicht vage und poetisch, sondern konkret, griffig, wie eine leise Glocke, die immer wieder anstieß, sanft aber stetig.

Morgen würde ein entscheidender Tag sein.

Doch heute war der Tag, an dem er wusste, *was* zu tun war – und warum.

Kapitel 48

Lacrima stand am offenen Fenster ihres Turmzimmers. Der Morgen war still, aber voller unsichtbarer Bewegungen. Der Himmel war noch nicht ganz hell, doch der Schleier der Morgendämmerung begann sich bereits zu heben, wie eine Bühne vor dem ersten Akt.

In den letzten Stunden hatte sie ein feines Flirren in sich gespürt – eine vibrierende Wärme, die aus keinem bestimmten Grund kam und doch alles durchdrang. Sie hatte sich auf das Fensterbrett gesetzt, die Knie angezogen, das Kinn daraufgelegt. Ihre Augen waren halb geschlossen, als würde sie nicht schauen, sondern *lauschen*.

Und plötzlich wusste sie: Roberto hatte etwas entdeckt. Nicht mit dem Verstand – sondern mit dem Herz. So wie zwei Instrumente aufeinander reagieren, wenn eines zu klingen beginnt, hatte ihre Seele mit seiner einen stillen Akkord gebildet.

„Er ist mir näher als jeder Schritt, den ich je gegangen bin.“

Die Morgensonne tauchte auf. Ein heller Streifen erleuchtete den Horizont. Und da – ganz leise – glaubte sie, Töne zu hören. Keine Melodie im üblichen Sinn. Sondern Empfindung, verdichtet zu Klang.

Ihre Hände legten sich auf die Brust. Ihr Herzschlag war ruhig, aber intensiv. Sie spürte ihn nicht nur in ihrer Brust – sondern in den Fingerspitzen, im Hals, bis in die Haarwurzeln. Und dann – kam das Echo.

Nicht von draußen. Nicht von einem Geräusch. Sondern von einem *anderen Herzen.*

„Roberto… du…“

Es war kein Gedanke. Es war eine Erkenntnis, die sich wie Licht durch ihre Seele zog. Er hatte etwas Bedeutendes verstanden. Und er hatte sie gefühlt.

Lacrima richtete sich auf, stellte sich auf die Zehenspitzen am Fenster. Ihre Augen glitzerten. Eine einzige Sternschnuppe zog über das Himmelszelt. Sie wünschte sich nichts. Sie *brauchte* nichts zu wünschen – denn sie wusste:

Er war auf dem Weg. Und sie war der Klang, der ihn rief.

In diesem Moment war ihre Sehnsucht nicht schmerzhaft. Sie war eine leuchtende Verbindung – klar, tief, kraftvoll. Wie ein unsichtbarer Faden, der aus Licht bestand und durch alles Dunkel hindurchführte.

Noch wusste sie nicht, *wie* sie sich begegnen würden. Noch war ihr unklar, *wann*. Aber eines war ihr gewiss:

Ihre Herzen hatten sich wiedergefunden.

Kapitel 49

Inzwischen waren die Gäste des Königs eingetroffen. Nach einem kurzen Morgen Imbiss versammelten sie sich im Lieblings-Zimmer des Königs. Das Licht im Saal der Zinnsoldaten war gedämpft, flackernd. Enrico stand aufrecht zwischen seinen glänzenden Miniaturarmeen und deutete stolz auf seine Lieblingsformation: ein nachgebautes Modell des Schlosses, von kleinen Blechfiguren umgeben, die Schild und Schwert hielten.

„Dies hier“, erklärte er seinen neun Ministern, die in neuen, streng zugeschnittenen Uniformen saßen, „ist die ultimative Verteidigung. Nicht nur gegen sichtbare Feinde, sondern auch gegen das, was man nicht mit bloßem Auge erkennt.“

Die Minister nickten. Manche wirkten ehrfürchtig. Andere... leicht verunsichert. Es war der Moment, in dem der König seine Gäste zum Spiel auffordern wollte.

Da flog die Tür mit einem leichten Knarren auf.

„Majestät, entschuldigen Sie die Störung“, sagte der Oberhofmeister. Er verneigte sich tief. „Ein Kobold… drängt auf dringende Audienz. Er behauptet, es gehe um Ihre Sicherheit.“

Enrico runzelte die Stirn. „Sicherheit ist nie ein Nebenthema. Führ ihn herein.“

Mit stampfenden Schritten kam der Kobold in den Raum. Es war der Kobold aus der moosüberwachsenen Höhle, den Amanda und Eleonore einst auf ihrer ersten magischen Erkundung getroffen hatten. Sein Blick war hart, seine Bewegungen fahrig vor Aufregung.

„Majestät“, begann er ohne Umschweife, „ich habe nachgeforscht. Ich kenne ihre Namen. Ich habe gesehen, wie sie sich bewegen, wie sie sprechen, wie sie sich heimlich verständigen. Diese zwei Frauen… Amanda und Eleonore… und dieser Mann, Roberto… sie sind nicht, was sie zu sein scheinen!“

Stille im Raum.

Der König verschränkte langsam die Arme. „Sprich weiter.“

„Ich glaube, sie stammen aus einer fremden Galaxie“, zischte der Kobold, während seine Stimme sich vor Dringlichkeit überschlug. „Sie wurden unabsichtlich durch eure außerplanetarischen Ton-Experimente herbeigerufen. Ihr müsst euch das doch eingestehen! Diese Empfänger… diese Resonanzen… vielleicht waren sie Portale! Und sie… haben böse Absichten. Sie unterwandern das Schloss. Sie manipulieren euch.“

Ein Minister verschluckte sich an seinem Tee. Nur der König bewegte sich nicht. Seine Augen funkelten.

„Und woraus schließt du das?“ fragte er langsam.

„Sie vermeiden jede direkte Antwort. Sie sprechen von Schicksal und Musik. Sie erkunden geheime Räume. Roberto war in meiner Höhle. Kein Mensch kommt freiwillig dorthin! Und... sie reden von einer Befreiung. Als sei hier etwas zu befreien!“

Der König schwieg einen Moment. Dann begann er, langsam um das Spielfeld der Zinnsoldaten zu schreiten. Seine Fingerspitzen glitten wie Gedanken durch die Luft.

„Ich hatte diesen Verdacht... einst. Kurz. Doch ich habe ihn verworfen.“ *"Aber wenn du recht hast..."*

Ein nervöses Flackern ging durch die Ministerrunde. Zwei von ihnen tauschten Blicke. Und in Enricos Blick zuckte kurz eine alte Angst auf – jene, die immer dann in ihm aufstieg, wenn er nicht mehr wusste, wem er glauben sollte.

Dann hob er den Kopf.

„Führt Amanda, Eleonore und Roberto sofort zu mir. Aber… bindet sie nicht. Noch nicht.“

Der Kobold senkte den Blick, aber seine Genugtuung war sichtbar.

Enrico wandte sich seinen Ministern zu.

„Das Spiel ist vorerst verschoben. Wir haben womöglich eine Invasion zu klären.“

Kapitel 50

Die riesige Kuppel der Sternwarte war von einem milden Tageslicht durchzogen. Staubteilchen tanzten durch die Luft, als das große Teleskop langsam in eine neue Position fuhr – ausgerichtet auf ein unsichtbares Fernziel jenseits des Horizonts. Es war genau 12 Uhr mittags, doch hier in der Höhe, im Zentrum des Schlosses, herrschte eine stille Abgeschiedenheit.

König Enrico stand aufrecht neben dem Teleskop, sein Blick war durchdringend, sein Gesicht kontrolliert, aber nicht kalt. Amanda, Eleonore und Roberto betraten hintereinander den Raum – ruhig, aber innerlich aufgewühlt. Roberto spürte, wie sich das Band zu Lacrima in ihm bewegte, als wolle es ihn stärken. Die beiden

Frauen tauschten einen kurzen Blick – klar, wachsam, aber mitfühlend.

„Setzt euch," sagte Enrico, und deutete auf drei Sessel aus violettem Samt, die im Halbkreis vor ihm aufgestellt waren.

Ein kurzer Moment der Stille, während sich alle setzten.

Dann begann der König. Nicht scharf, nicht anklagend – sondern in einem Tonfall, der beinahe zu nachdenklich klang für die Härte der Situation:

„Ich stelle euch heute Fragen, weil ich – entgegen dem, was man über mich sagt – kein Narr bin."
„Ein Kobold, dem ich einst das Leben rettete, glaubt, ihr wärt keine menschlichen Wesen. Er glaubt, ich hätte durch meine Klangversuche *Portale* geöffnet. Und nun fragt sich mein Herz – wie auch mein Verstand: Hat er recht?"
„Also – beantwortet mir bitte nachfolgende Fragen:"

„Von wo genau seid ihr gekommen – geografisch oder kosmisch?"

„Gibt es eine Regierung, die euch gesendet hat, oder handelt ihr aus eigenem Willen?"

„Welche Technologie verwendet ihr, wenn ihr kommuniziert – oder Informationen übermittelt?"

„Habt ihr kriegerische oder manipulative Absichten?"

„Was erwartet ihr von mir? Und was wünscht ihr euch von diesem Ort?"

„Habt ihr Kenntnis über kosmische Musik, die andere Welten beeinflussen kann?"

Danach schwieg der König.

Er blieb stehen, mit dem Rücken zum Fenster, die Hände hinter dem Rücken verschränkt, während das Licht der Mittagssonne an den Rändern der Kuppel aufblitzte. Die Welt wirkte für einen Moment vollkommen ruhig – als würde sie den Atem anhalten.

Roberto, Amanda und Eleonore wussten, dass jede Antwort nun über Vertrauen oder Misstrauen, über Freiheit oder Gefangenschaft, ja vielleicht über Krieg oder Frieden entscheiden konnte.

Kapitel 51

Ein Moment der Stille lag über dem Raum. Der König stand noch immer mit dem Rücken zum Fenster. Seine Fragen hingen schwer in der Luft – nicht wie Waffen, sondern wie Prüfsteine.

Da war es Amanda, die zuerst sprach. Ihre Stimme war ruhig, wie aus der Mitte eines weiten, klaren Feldes:

„Majestät, ihr habt Fragen gestellt, auf die es viele Antworten gäbe – technische, geschichtliche, sogar politische. Aber wir glauben, dass ihr euch die wichtigsten Antworten selbst geben könnt."

Enrico drehte sich langsam um. In seinem Blick lag nicht nur Argwohn – da war auch Neugier, etwas Verletzliches, das hinter der Rüstung aufblitzte.

Jetzt sprach Eleonore, sanft, doch mit einer klugen Klarheit:

„Ihr habt viele große Gaben. Ihr besitzt Verstand – einen messerscharfen, geübten Verstand. Ihr habt Bücher gelesen, Welten betrachtet, Systeme verstanden."

„Aber das ist nicht alles. Ihr habt Empathie – auch wenn ihr sie oft versteckt. Ihr wisst, wann ein Wesen lügt, aber ihr spürt auch, wann es hofft."

„Und ihr habt Fantasie. Eine, die weit über dieses Schloss hinausreicht. Sonst hättet ihr die Töne der Steine nie gefunden."

Enrico zuckte kaum merklich zusammen. Für einen winzigen Moment schien ihm jemand den Spiegel seiner eigenen inneren Welt hinzuhalten.

Dann trat Roberto vor, langsam, aber aufrecht. Er hob leicht die Hand, als wolle er keine Angst machen – nur Nähe anbieten:

„Majestät... schaut uns an. Mit allem, was euch gegeben ist. Mit eurem Herzen, eurem Verstand, eurer Intuition. Was ihr

dort findet, das ist die Wahrheit."
„Ich weiß, wie gefährlich Vertrauen sein kann. Es ist nackt. Es macht verletzlich. Aber es ist auch das Einzige, das Verbindung möglich macht – zwischen Wesen, zwischen Welten."

Amanda fügte leise hinzu:

„Wir sind keine Bedrohung. Wir sind eine Möglichkeit."

Eleonore:

„Und wenn ihr uns fragt, was wir wollen: Dann ist es das – dass sich etwas verändert. Für das Leben. Für die Lebendigkeit. Für alles, was liebt."

Roberto, mit tiefer Stimme, schloss:

„Glaubt uns nicht, weil wir freundlich sprechen. Glaubt uns, weil ihr fühlen könnt, was in uns wohnt – wenn ihr es zulasst."

Es folgte ein tiefer, stiller Moment.

Enrico sah nun jeden der drei an – lange, durchdringend, als würde er ihre Worte nicht hören, sondern schmecken, abwägen, auf einer inneren Waage prüfen.

Dann wandte er sich wieder dem Fenster zu. Die Sonne stand jetzt genau über dem Horizont, ein gleißender Punkt inmitten einer blauen Flut aus Licht. Und für den Bruchteil eines Augenblicks – ganz kurz – huschte ein Ausdruck über Enricos Gesicht, den man fast für Rührung hätte halten können.

Kapitel 52

Enrico stand wieder reglos vor dem Fenster, die Hände auf dem Rücken verschränkt. Ein Hauch von Sonnenlicht spiegelte sich auf der glänzenden Kuppel des Teleskops, und in dem Raum war nur noch das leise Summen der Geräte zu hören.

Dann drehte sich der König langsam zu den Dreien um. Sein Blick hatte sich nicht verändert, blieb streng, kontrolliert – doch die Stimme, die er nun erhob, klang merklich weicher, mit einer Nuance, die man beinahe für Wärme halten konnte:

„Ich danke euch für eure offenen Worte. Auch wenn ich nicht behaupten kann, dass ich alle eure Beweggründe durchschaue, so sehe ich doch... dass ihr nicht leichtfertig handelt.“
„Ich bin ein Mann, der viele Schlachten geführt hat – im Inneren wie im Äußeren.

Ich glaube nicht an Zufälle. Aber ich erkenne, wenn etwas zu mir gehört – oder sich bemüht, ein Teil dessen zu werden, was ich schütze."

Er ging mit gemessenen Schritten auf Amanda, Eleonore und Roberto zu. Kein Lächeln, aber auch kein Argwohn mehr in seinem Blick. Dann sprach er weiter:

„Ihr sollt wissen: Solange ihr euch im Schloss befindet, garantiere ich euch Unversehrtheit. Kein Wesen unter meinem Schutz wird euch Schaden zufügen. Das ist ein königliches Versprechen."
„Zudem lade ich euch ein, heute Abend an meinem Arbeitsessen teilzunehmen. Es wird eine Sitzung mit meinen neun Ministern sein – eigentlich ein formeller Anlass. Doch vielleicht kann daraus mehr entstehen."

Er wandte sich bereits zur Tür, als hätte er alles gesagt, was nötig sei. Dann hielt er noch einmal inne und fügte mit einer ruhigen Stimme hinzu:

„Es ist mein Geburtstag. Aber ich feiere ihn nicht. Erwartungen machen schwach. Erinnerungen auch.“
„Ich schätze kluge Gäste – und aufmerksame Zuhörer.“

Mit diesen Worten verließ Enrico den Raum – und ließ Amanda, Eleonore und Roberto zurück, zwischen Erleichterung und Spannung. Sie wussten: Der König hatte nicht alles gezeigt, was in ihm vorging – aber ein Weg war geebnet.

Was sie nicht wussten: In seinem Innersten hatte sich ein Ton gelöst, so leise wie ein Seufzer, der noch keinen Namen trug.

Kapitel 53

In der Schlossküche herrschte eine feierliche, fast andächtige Betriebsamkeit. Der Tag war weitergezogen, das Licht stand schon tiefer, und aus dem Hof wehte ein leichter Wind herein, der nach Sommer und Moos duftete. Doch in der Küche roch es ganz anders: nach frisch gerösteten Nüssen, nach feinen Kräutern, kandierten Veilchen und einer Spur Lavendel, der den Nerv beruhigen und die Sinne öffnen sollte.

Amanda stand vor dem großen Herd, wo ein duftender Eintopf leise köchelte – ein uraltes Rezept, abgewandelt mit Zutaten, die beruhigend und verbindend wirkten:

Fenchel, Sellerie, eine Prise Muskat, und ein Hauch von Thymianhonig. Eleonore rührte gerade die goldene Polenta, die wie Samt in einem weiten Kupfertopf glitt, während Lucia zarte essbare Blüten auf die vorbereiteten Teller legte – Himmelschlüssel, Vergissmeinnicht, Tränende Herzen und Tausendschön. Winzige Portionen, doch voller Bedeutung. Die Kobolde würden sie meiden, das wussten sie – aber der König selbst würde möglicherweise die Botschaft verstehen.

In einem Korb, sorgfältig in Leinentücher geschlagen, lagen die neun unberührten Teddybären – einer für jeden Minister. Sie wirkten unschuldig, fast kindlich, doch jeder war mit einer kleinen Schleife versehen, deren Farbe ein bestimmtes Thema symbolisierte: Mut, Vergebung, Erinnerung, Vertrauen, Trauer, Freude, Demut, Klarheit und Hoffnung.

Der zehnte Bär – Galopp – saß bereits im Nebenraum und wartete auf seinen Einsatz. Amanda hatte ihm ein kleines Täschchen umgehängt, darin eine Spieluhr verborgen, die mit sanftem Drehen das alte Schlaflied des Königs abspielen würde – ein Lied, das Roberto auf dem Tonempfänger gesichert und dann leise eingespielt hatte. Niemand hatte es geprobt, doch alle wussten, dass der Moment, wenn Galopp zu spielen begann, kein Zufall sein würde.

„Glaubt ihr, er wird wütend?“ flüsterte Lucia, während sie eine letzte Messerspitze Zitronenmelisse über die Mousse aus weißem Kürbis rieb. „Vielleicht“, antwortete Eleonore ruhig. „Aber dann wird er auch fühlen. Und wenn er fühlt, wird er erinnert.“ „Und wenn er erinnert wird…“ fügte Amanda hinzu, „… dann wird vielleicht ein anderes Tor in ihm aufgehen. Ein menschliches.“

In einer stillen Geste legte Lorena einen kleinen Beutel auf den großen Holztisch – getrocknete Blüten, die Roberto mitgegeben hatte. „Er hat sie selbst sortiert", erklärte sie. „Sie sollen einfach nur... anwesend sein. Mehr nicht."

Die Küche war nun still geworden. Kein Lachen, kein Klappern, nur das leise, verheißungsvolle Knistern im Ofen. Draußen begann sich die Abenddämmerung über das Schloss zu senken.

„Also gut", sagte Amanda leise. „Lassen wir die Magie ihre Arbeit tun."

Dann verließen sie einer nach dem anderen die Küche – bereit für ein Mahl, das mehr war als Nahrung. Es war eine Einladung zur Erinnerung, zur Umkehr, vielleicht sogar zum Wunder.

Kapitel 54

Die Türen des großen Speisesaals schwangen lautlos auf.

Ein leiser Windhauch begleitete die Gäste, als sie nacheinander eintraten – der König zuerst, würdevoll und gespannt, dicht gefolgt von seinen neun Ministern, den neuen Gästen Roberto, Amanda und Eleonore, und schließlich dem Oberhofmeister. Die lange, festlich gedeckte Tafel glänzte im Licht von hunderten kleinen, schwebenden

Kristallleuchten, die wie sanfte Sterne über dem Raum funkelten.

Doch es war nicht das Licht, das den ersten Eindruck bestimmte – es waren die Teddybären.

Auf jedem Stuhl saß einer. Sorgsam drapiert, liebevoll verpackt, und dennoch ganz schlicht, blickten sie mit Knopfaugen in den Raum. Galopp, der älteste und kleinste unter ihnen, saß auf dem Thron des Königs. Seine winzigen Arme ruhten auf der Armlehne, und sein Kopf war leicht zur Seite geneigt, als lausche er.

Für einen Moment trat Stille ein.

Ein Murmeln ging durch die Ministerriege, dann begannen die ersten zu schmunzeln. Einer lachte leise auf. „Meiner sieht aus wie meiner damals..." sagte einer. Ein anderer presste seinen Bären wortlos an die Brust.

Dann trat der König näher an seinen Thron. Und als er Galopp sah – diesen alten, fast abgewetzten Bären mit dem vertrauten Ohr und der krummen Naht am Rücken – zuckte etwas in seinem Gesicht. Er streckte vorsichtig die Hand aus, berührte das Fell. In diesem Moment begann die Spieluhr zu singen.

Ein zartes Schlaflied – die Melodie jener einen Nacht, als er sich einst, viele Jahre zuvor, sicher gefühlt hatte. Es war nicht nur ein Lied – es war ein Klang aus seiner Seele. Es klang, als käme es von weit her, aus einer Erinnerung, die sich nur durch Sanftheit und Vertrauen öffnen ließ.

Enrico schloss für einen kurzen Moment die Augen. Sein Atem wurde flacher, seine Schultern lockerten sich. Niemand wagte, etwas zu sagen.

Dann – um die Rührung nicht überborden zu lassen – trat ein junger Diener mit einem hellen Tablett hervor. Darauf standen kleine Gläser mit einem silbrigen Getränk, das wie Morgentau im Licht funkelte. Es verströmte einen Hauch

Zitronenmelisse und Bergminze – und sobald die Gäste tranken, legte sich eine heitere, beschwingte Leichtigkeit in den Raum. Die Gesichter wurden weich, das Lächeln breiter.

Der König hob sein Glas.

„Ich… habe heute das Gefühl, Geburtstag zu haben“, begann er. „Nicht weil ich geboren wurde. Sondern weil mir heute etwas geschenkt wurde, das ich fast vergessen hatte: das Gefühl, willkommen zu sein. Gesehen zu werden. Und ich glaube, das ist genug. Ich brauche keine weiteren Geschenke – nicht heute.“

Die Minister waren gerührt. Einige standen auf, klopften ihm auf die Schulter oder verneigten sich leicht.

„Ihr seid mein Geschenk“, sagte er leise.

Roberto erhob sich nun, ruhig, ohne Dramatik. Seine Stimme war klar, warm.

„Majestät, ich habe geforscht. Und ich glaube, ich habe eine Verbindung gefunden – zwischen hörbaren und unhörbaren Tönen. Ich konnte sie erfassen, aufzeichnen, spürbar machen. Es ist... wie ein musikalischer Herzschlag, der Dinge verbindet, die sich nicht sehen, aber fühlen lassen."

Der König blickte ihn lange an. Dann auf seinen Bären.

Und genau in diesem Augenblick – als das Schlaflied sanft verklang – veränderte sich etwas im Raum.

Ein leises, kaum hörbares Klingen ging durch das Mauerwerk. Die alten Wände, die seit Jahrzehnten grau und hart gewirkt hatten, schimmerten plötzlich wärmer. In den schweren Vorhängen zeigten sich Farben, die man längst vergessen glaubte. Die Kälte in den Fenstern wich, und dahinter begann das Schloss, sich zu wandeln.

Ein leichter Glanz legte sich auf den Boden, auf die Wände, auf die Herzen der Anwesenden. Alles wurde... heller. Weicher. Lebendig.

Es war kein lauter Zauber. Kein Funkenschlag. Sondern das stille Wunder einer Heilung, das sich in Wärme und Nähe offenbarte.

Der König nahm Galopp auf den Arm. Und sagte nichts mehr.

Denn manchmal braucht ein Herz keine Worte – sondern nur ein Lied, ein Bär, und eine Erinnerung an das, was Liebe ist.

Kapitel 55

Noch immer war es still im Saal, doch die Stille war keine leere – sie war warm, voll von innerer Bewegung, Erwartung, Erleichterung.

Der König saß aufrecht in seinem Stuhl, Galopp sicher auf seinem Schoß, und sah Roberto aufmerksam an. In seinem Blick lag keine Schärfe mehr, sondern ein neugieriges, fast jugendliches Leuchten.

„Du hast mit deiner Forschung etwas in Bewegung gebracht, das nicht nur aus Tönen besteht“, sagte Enrico langsam. „Ich sehe jetzt... dass auch ich Dinge anders hören kann. Dass es nicht nötig ist, mit Melodien zu kontrollieren oder zu binden. Ich möchte von nun an nur noch Musik, die Freude bringt. Die öffnet, heilt, Segen stiftet.“

Roberto nickte, ernst und dankbar. Und da fuhr der König fort:

„Für das, was du geleistet hast – und was du mir zurückgegeben hast – will ich dir zwei Wünsche erfüllen. Einen kleinen. Und einen großen.“

Roberto war kurz still. Doch seine Antwort kam dann ohne Zögern, als hätte sie längst in seinem Herzen bereitgestanden.

„Mein kleiner Wunsch ist, dass im ganzen Reich wieder alle Blumen erlaubt sind, besonders Vergissmeinnicht, Himmelschlüssel, Tausendschönchen und Tränende Herzen. Und dass die Kobolde lernen dürfen, ihre Abwehr gegen sie zu verlieren – nicht durch Zwang, sondern durch ein neues Verständnis.“

Ein Raunen ging durch den Saal. Einige der Minister sahen einander erstaunt an. Der König hob die Brauen – und nickte dann langsam.

„Ein guter Wunsch“, sagte er. „Ein Wunsch, der heilt. Gewährt.“

Roberto atmete tief ein. Dann kam der zweite.

„Mein großer Wunsch“, sagte er mit ruhiger Stimme, die dennoch ein feines Beben verriet, „ist die Freiheit für Prinzessin Lacrima. Ich weiß, dass sie nicht deine Gefangene im herkömmlichen Sinn ist. Aber ich glaube, dass sie bereit ist für die Welt. Und dass die Welt bereit ist für sie.“

Der König schwieg. Der ganze Saal hielt den Atem an.

„Ich glaube,“ fuhr Roberto fort, „dass das, was man loslässt, nicht verloren ist. Im Gegenteil – nur wer loslässt, gibt dem, was er liebt, die Freiheit, bei ihm zu bleiben. Nicht aus Zwang, sondern aus Verbundenheit.“

Enrico schloss die Augen für einen Moment.

Dann erhob er sich, langsam, das Kind in ihm noch immer nah an der Oberfläche.

Er sah zu Roberto, dann zu den anderen Gästen – und schließlich zum leuchtenden Fenster, hinter dem der Abendhimmel in weichen Goldtönen zerfloss.

„Auch dieser Wunsch“, sagte er mit leiser Stimme, „sei dir gewährt. Noch heute soll Lacrima frei sein. Und mehr noch – sie soll dort sein, wo sie sich gesehen und lebendig fühlt.“

Ein Aufatmen ging durch die Reihen. Eleonore berührte Amanda an der Hand. Die Minister lächelten. Einer schob seinen Teddybären ein wenig näher an den Teller.

Roberto senkte den Kopf, ehrfürchtig, doch seine Augen glänzten. Nicht von Ehrgeiz, sondern von jener Art Hoffnung, die nur dort entsteht, wo ein Herz zu lieben beginnt.

Enrico trat einen Schritt auf ihn zu.

„Du hast mich an etwas erinnert, das ich fast vergessen hatte“, sagte er. „An Vertrauen. Und daran, dass Macht nicht darin besteht, zu binden – sondern freizulassen."

Dann wandte er sich an den Oberhofmeister:

„Bereite alles vor. Die Gärten sollen geöffnet werden. Die Türen zu Lacrimas Turm. Heute Nacht darf alles fließen."

Kapitel 56

Lacrima stand am Fenster, das Licht des Abendhimmels auf ihrer Haut, weich wie Seide. Die Farben des Himmels spiegelten sich in ihren Augen – ein feines, irisierendes Leuchten, das in sich das Blau der Sehnsucht und das Gold der Hoffnung trug.

Sie hatte das Gefühl, als läge etwas in der Luft. Nicht wie ein Geräusch, sondern wie ein inneres Erzittern, ein stilles Vibrieren, das tief aus der Welt kam und sie sachte an der Seele berührte. Ihr Herzschlag war ruhig, aber weit geöffnet, als würde er warten.

Ein Windstoß fuhr in den Raum, zart und kühl. Die Blumen, die sie gepflegt hatte, zitterten in ihren Vasen – nicht aus Angst, sondern aus Aufbruch. Und plötzlich... spürte sie ihn. Roberto.

Nicht körperlich, nicht im Klang einer Stimme oder im Schatten an der Wand –

sondern in jener unsichtbaren Frequenz, in der zwei Herzen im gleichen Takt schlagen, ohne einander berührt zu haben.

„Er ist da“, flüsterte sie. „Nicht mehr nur in meiner Vorstellung. Sondern hier.“

Tränen standen ihr in den Augen – nicht aus Traurigkeit, sondern aus Erkennen. Aus dieser tiefen, leisen Freude, die entsteht, wenn eine Seele spürt: *Ich bin nicht mehr allein. Ich war es nie.*

Dann geschah es.

Ein leises, kaum hörbares *Klicken*.

Die Tür, die so lange verschlossen war, öffnete sich. Ohne Druck, ohne Dröhnen – sie schwang einfach auf, als sei sie nie wirklich verriegelt gewesen, nur von einem inneren Schloss zurückgehalten.

Lacrima drehte sich um.

Ein feiner Duft drang herein – der Duft des Abends, der Gärten, des Lebens, das draußen wartete. Und da war ein leises Lied in der Luft, wie ein Echo aus Kindertagen – das Schlaflied des Königs, doch jetzt erfüllt mit einer neuen Bedeutung.

Sie trat vorsichtig zur Schwelle. Dann blieb sie stehen.

„Bin ich bereit?“, fragte sie sich. Und ihre Seele antwortete: *Du warst es immer.*

Sie lächelte. Und machte den ersten Schritt hinaus. In die neue Nacht. In ein neues Jetzt.

Kapitel 57

Der große Saal war erfüllt von einer warmen Stille. Das Schlaflied des Königs hatte sich längst in die Herzen der Anwesenden eingenistet wie ein zärtliches Versprechen, und das Essen war fast beendet. Die Teddybären saßen noch immer auf den Stühlen, manche Minister hatten sie unbewusst fest im Arm, als hätten sie vergessen, dass sie erwachsen waren.

Amanda und Lorena wechselten einen kurzen Blick, dann richtete Amanda sich auf, legte ihre Serviette beiseite und trat ein paar Schritte näher an den König heran. Ihre Stimme war ruhig, ehrlich – mit jener Freundlichkeit, die man nur aufbringt, wenn man etwas Wertvolles zu sagen hat:

„Majestät… Es gibt noch etwas, das wir Ihnen sagen möchten. Etwas, das wir nicht länger verschweigen wollen.“

Der König hob eine Braue, blieb aber gelassen.

„Wir sind tatsächlich Touristinnen“, fuhr Amanda fort. „Und ursprünglich hatten wir nicht vor, hier zu bleiben. Dieses Tal war nur ein Ziel auf unserer Reise, ein glücklicher Zwischenhalt… doch dann wurde es mehr.“

„Es wurde zu einer Entdeckung“, ergänzte Lorena leise. „Nicht nur des Ortes, sondern auch von etwas in uns selbst.“

Amanda lächelte leicht.

„Wir werden bald wieder abreisen, das ist sicher. Doch wir möchten zurückkehren. Nicht als Spione, nicht als Botschafterinnen fremder Mächte – sondern als Gäste. Oder Freunde, wenn Sie es gestatten.“

Enrico sah sie einen Moment lang schweigend an. Dann nickte er.

„Ich gestatte es. Und ich danke Ihnen für Ihre Ehrlichkeit.“
Sein Tonfall war unerwartet sanft. „Nicht viele haben den Mut, im Licht des Erfolgs auch ihre Grenzen zu benennen.“

Dann traten Amanda und Eleonore zu Roberto, der am Tisch saß, gedankenverloren, ein leeres Glas in der Hand, seine Gedanken wohl schon bei dem, was als Nächstes zu tun wäre.

Eleonore beugte sich zu ihm hinab und sagte leise:

„Du hast es geschafft. Du hast die Töne verbunden – und Herzen gleich mit.“

Amanda klopfte ihm auf die Schulter.

„Und ganz nebenbei hast du wahrscheinlich die Geschichte dieses Reiches verändert.“
Dann schmunzelte sie. „Nicht schlecht für jemanden, der einfach nur einer inneren Melodie gefolgt ist.“

Roberto lächelte. Ein wenig verlegen. Ein wenig stolz. Und tief berührt.

Kapitel 58

Draußen hatte sich die Nacht wie ein weicher Schleier über das Schloss gelegt. Der Schlossgarten, sonst ruhig und vom Mondlicht still durchzogen, schien heute zu flüstern. In den Bäumen raschelte das Laub, als würden die Äste sich zuneigen, um besser sehen zu können, was sich gleich ereignen sollte.

Prinzessin Lacrima stand am Rand des Rosengartens, wo ein kleiner Steg zu einem spiegelklaren Teich führte. Über ihr spannte sich das Firmament, übersät von Sternen – und wieder fielen Sternschnuppen wie lautlose Funken über das Himmelszelt.

Ihr Herz pochte ruhig, aber weit, wie geöffnet für alles, was kommen mochte. Seit das Schlaflied des Königs erklungen war, hatte sich etwas in ihr gelöst. Eine innere Kette war zerbrochen, die sie so lange zurückgehalten hatte, ohne dass sie es genau gewusst hatte. Und nun war sie frei – nicht nur äußerlich, sondern auch in ihrem Innersten.

Dann hörte sie Schritte. Kein lautes Stampfen, kein entschlossener Marsch. Leise, tastende Schritte. Zögernd, fast fragend. Und doch mit einem vertrauten Rhythmus. Als würde jemand durch den Klang seiner Schritte sagen wollen: *Ich bin da… aber nur, wenn du es auch willst.*

Sie drehte sich um. Und da stand er: Roberto.

Nicht wie ein Retter. Nicht wie ein Eroberer. Sondern wie jemand, der seinen eigenen Weg gegangen war, und ihn nun bei ihrem kreuzen ließ – mit offenem Herzen und einem Blick, der so still war wie der Himmel über ihnen.

Sie sah ihn an – und spürte es sofort: Der Puls. Der gleiche Schlag. Die alte Verbindung, die nie ganz zerrissen war.

Roberto trat näher. Er sagte nichts. Und auch sie sagte nichts.

Denn Worte wären zu grob gewesen für das, was zwischen ihnen schwang. Zwischen den Vergissmeinnichtblauen Blumen, den Tränenden Herzen und dem Klang der Nacht.

Dann hob Roberto langsam die Hand – und zeigte ihr seinen Arm. Die Tinte war verschwunden. Das Muttermal war wieder sichtbar. Das Zeichen.

Lacrima streckte die Hand aus. Ihre Finger berührten die Stelle sacht, und ihr Blick hob sich zu seinem.

„Ich wusste es“, flüsterte sie. „Ich wusste, dass du kommst. Nicht, um mich zu retten. Sondern weil du gehört hast, wie ich dich gerufen habe.“

Roberto lächelte. Leise, voller Wärme.

„Und ich bin nur gekommen, weil du mich gerufen hast. Weil ich dich spüren konnte – schon bevor ich wusste, wer du bist.“

Sie traten einander ganz nah. Der Teich spiegelte das Licht der Sterne, und es war, als würden auch sie jetzt tanzen – nicht für Wünsche, sondern für Bestätigungen. Für all das, was sich endlich gefunden hatte.

Sie standen einfach nur da. Kein Kuss. Kein Schwur. Kein lautes Versprechen.

Nur ein gemeinsamer Atem. Ein gemeinsamer Herzschlag.

Ein Anfang – in der vollkommenen Stille.

Kapitel 59

Das Schloss, das so lange von starren Regeln und verschlossenen Türen regiert worden war, atmete nun anders. Weicher. Weiter. Der Stein schien heller, die Fenster ließen Licht durch, selbst wenn es regnete.

Enrico, der König, spielte noch immer mit seinen Zinnsoldaten – aber sie standen jetzt nicht nur in Schlachtordnung, sondern manchmal in Reihen, die an Tanz oder Zusammenarbeit erinnerten. Man hatte ihn mehrfach mit einem der neuen Teddybären gesehen, der still auf einem Kissen an seiner Seite thronte.

Die Kobolde lernten – manche zögerlich, manche neugierig – wieder Vergissmeinnicht und Himmelschlüssel zu berühren. Ihre Haut juckte nicht mehr so heftig. Es war, als ob ihre Allergie sich nicht nur gegen Pflanzen, sondern gegen Liebe und Vertrauen gerichtet hatte. Jetzt aber ließen sie sich auf neue Töne ein.

Amanda und Eleonore verabschiedeten sich mit einem lachenden Versprechen: *"Wir waren Touristinnen – und wurden Zeuginnen eines kleinen Wunders. Wir kommen wieder, aber mit leichtem Gepäck."*

Lucia, die Küchenkatze, verwandelte sich sofort bei der ersten Veränderung des Gebäudes wieder in die einstige Fee, die sie gewesen war und wurde wieder Lacrimas beste Freundin. König Enrico entdeckte im Dorf eine junge Katze, mit der er sich anfreundete. Er erinnerte sich an seine Kindheit, in der er gerne ein Haustier gehabt hätte, einen Hund, eine Katze oder irgendein anderes Tier. Die neue Hausbewohnerin nannte er Felicitas. Sie wiederum freundete sich mit dem Teddy an und schlief viele Stunden am Tag neben ihm. Wenn jemand vorbeikam, schnurrte sie. Manche sagten, sie schnurre in einer Melodie, die an das alte Schlaflied des Königs erinnerte.

Und Lacrima?

Sie ging oft barfuß durch den Garten. Die Blumen schienen unter ihren Schritten aufzublühen, besonders die Tränenden Herzen. Und manchmal – wenn der Wind aus Richtung des Turmzimmers kam – hörte man eine Harfe, eine Klangschale, ein Wasserglas klingen, als ob jemand mit den Tönen sprach.

Roberto blieb. Nicht als Gast, nicht als Fremder – sondern als jemand, der angekommen war.

Nicht alles war perfekt. Aber vieles war möglich geworden.

Und so ging das Schloss in einen neuen Zyklus über – nicht ohne Schatten, aber mit offenem Blick für das Licht, das durch jede Ritze fallen konnte.

Ende